an tIriseoir

Michelle Nic Pháidín

Cois Life
2016

Sonraíocht CIP Leabharlann na Breataine. Tá taifead catalóige i gcomhair an leabhair seo ar fáil ó Leabharlann na Breataine.

Tá Cois Life buíoch de Chlár na Leabhar Gaeilge (Foras na Gaeilge) agus den Chomhairle Ealaíon as a gcúnamh.

An chéad chló 2016 © Michelle Nic Pháidín

ISBN 978-1-907494-57-4

Clúdach agus dearadh: Alan Keogh

Clódóirí: Nicholson & Bass Ltd.

www.coislife.ie

Nóta don léitheoir

Ficsean atá sa leabhar seo. Cé go bhfuil fíor-áiteanna luaite sa scéal, baineann gach carachtar sa leabhar, chomh maith leis na nuachtáin uilig, le réimse na samhlaíochta amháin.

Rinne na heagarthóirí an caighdeánú ba lú ba ghá ar an téacs seo, le súil go léireofaí caint agus friotal na gcarachtar mar ba chóir, ach le súil go mbeadh an saothar soléite ag cách san am chéanna.

1

D'amharc sí amach fuinneog an chairr agus chonaic sí go raibh an ghealach go fóill ina suí mar a bheadh blaosc ann i spéir dhúghorm na cathrach.

Shín sí í féin siar i suíochán an chairr agus mhothaigh sí smeachanna an chodlata ag éalú óna corp.

Ní raibh sé ach a seacht a chlog ar maidin agus bhí an saol ina shuí, soilse bána na gcarranna ag tarraingt uirthi ag sileadh nathracha airgid ar an bhealach fliuch agus na soilse dearga stadta roimpi ag baint na súl aisti.

Chuir sí an raidió ar siúl agus d'éist le girseach agus fear óg éigin ag iarraidh ardú meanman a thabhairt do thiománaithe na maidine. Bhí an deargfhuath aici orthu. Shamhlaigh sí i dtólamh go raibh saol bog acu, na dúramáin seo. Daidí agus mamaí ag cur bia ar an tábla i mbruachbhaile saibhir cathrach a fhad agus go ndearna siad freastal ar an choláiste lena gcuid cairde ardnósacha.

Murab ionann is í féin arbh éigean di oibriú faoi choinne achan rud a bhí aici ar an choláiste. Mhúch an néal dubh a bhí os a cionn nuair a smaointigh sí go mbeadh sí ag obair in *The Irish Telegraph* mar iriseoir coiriúlachta ón lá inniu ar aghaidh.

Bhí toradh ar a saothar agus ba thrua don té a dhéanfadh seasamh sa chosán aici. D'amharc sí sa scáthán agus chonaic sí cailín, 35 bliana d'aois, le súile donna agus gruaig bhán. Bhí smideadh istigh aici agus bhí a cuid fáinní cluaise ag glioscarnach ar achan taobh dá haghaidh bheag dhóighiúil. Bhí marc ar a clár éadain agus ag imeall a súile ach bhí smideadh go leor orthu sa chaoi agus nach ndéanfadh duine ar bith iad a aithint.

'Déanfaidh mé cúis,' a dúirt sí léi féin go sásta.

Thiomáin sí timpeall an fhoirgnimh mhóir agus d'inis sí don fhear slándála go raibh sí ag toiseacht mar iriseoir inniu. Rinne sé scairt ghutháin, rinne gáire léi agus thóg an bhacainn dhearg agus bán a sheasaigh idir í féin agus an foirgneamh lena scaoileadh isteach.

Shiúil sí isteach san fhoirgneamh. D'aithnigh sí go raibh cúrsaí slándála measartha trom le cóid ar ardaitheoirí agus ar dhoirse. Nuair a d'éirigh léi fáil isteach san ardaitheoir bhí bean óg ghalánta istigh roimpi. Sheasaigh Bríd siar ag caitheamh sracfhéachaint ar na bróga, an t-éadach agus an mála. Faoin uair a d'éalaigh sí as an ardaitheoir bhí a fhios aici cad é an méid airgid a bhí caite ag an bhean ghleoite ar a ceirteacha. Shiúil an bhean óg ghleoite isteach go taobh an tseomra a bhí ag déileáil le fógraíocht agus shásaigh seo Bríd.

Chonaic Bríd go raibh an seomra nuachta i mbun oibre agus uair fós le dul sula raibh am oifigiúil toiseachta ann. Bhí trí theilifís ar siúl, an raidió san fhuinneog casta ar siúl agus fir i gcultacha éadaigh le canúint na Sasanach ag scairteadh ar a chéile faoi scéalta a bhí ag briseadh thar dhroim an domhain. Gach fear acu lena thuairim oilte féin. Cultacha éadaigh dúghorma agus bróga donna á gcaitheamh ag an mhórchuid acu.

Shiúil Bríd suas go dtí an deasc nuachta. Bhí an t-eagarthóir nuachta ina shuí ansin. Chas sé a lámh agus d'amharc sé ar a uaireadóir, ghlan a sceadamán agus labhair go gasta.

'Maidin mhaith. Is mise Ciarán Ó Gallchóir. Glacaim leis gur tusa Bríd. Sin do shuíochán thíos ansin. Má tá tú deas inseoidh duine den fhoireann duit cad é an dóigh leis an ríomhaire a úsáid. Déan na nuachtáin náisiúnta a léamh ar dtús, coinnigh do chluas leis an raidió agus déan na suíomhanna gréasáin a chíoradh, na meáin shóisialta san áireamh,' a dúirt sé.

D'inis sé di go mbeadh an príomheagarthóir istigh ar a haon déag do chruinniú na nuachta agus bhagair sé di scéalta réasúnacha a bheith réidh aici di. Sula bhfuair Bríd deis faic a rá bhí sé ar an fhón agus ag tabhairt comhartha di lena lámh imeacht uaidh.

Shiúil Bríd go deasc a bhí suite ag taobh na fuinneoige. D'amharc sí amach an fhuinneog agus chonaic sí go raibh blaosc na gealaí ina scáil cheana féin ag bagairt bhánú an lae. Chruinnigh sí léi lasta nuachtán agus shuigh síos arís. Thosaigh sí ag léamh na nuachtán chomh gasta agus a thiocfadh léi.

D'aithnigh sí go raibh daoine thart uirthi ag

gearradh amach na scéalta a raibh suim acu iontu. Scrúdaigh Bríd na scéalta agus thóg amach ceann nó dhó. Bhí sí ag éisteacht leis an raidió i rith an ama. Níor bhac sí leis an ríomhaire. Bhí pasfhocal de dhíth agus go dtí seo níor bhac duine ar bith labhairt léi. Rinne sí na suíomhanna gréasáin uilig a sheiceáil ar a fón agus í ag guí le Dia go ndéanfadh duine éigin suas léi ag an chruinniú nuachta.

Go tobann bhí rásaí faoin tseomra nuachta agus shiúil bean isteach agus gan labhairt le duine ar bith, chuaigh sí díreach isteach sa tseomra oifige taobh leo. D'amharc Bríd ar a fón agus chonaic sí go raibh sé deich mbomaite go dtí a haon déag.

Chonaic sí an t-eagarthóir ag doirteadh amach caife di féin agus ag tógáil an fhóin.

Go tobann mhothaigh sí Ciarán ag scairteadh.

'Cruinniú anois. Gabh achan duine isteach.'

Rith an fhoireann isteach, na fir leis na cultacha éadaigh anois ar nós uain Mhárta in ionad na cainte sean-aimseartha a bhí ar siúl acu ar maidin.

Cé nach raibh gach duine ina suí thosaigh Bean Uí Shúilleabháin, an t-eagarthóir, ag caint.

'Maidin mhaith. Tá sé anois cúig bhomaite go dtí a haon déag ar maidin Dé Domhnaigh, an ceathrú lá de mhí Eanáir. Tá cruinniú agam ar a haon. Mar sin cuir tús leis an chruinniú, a Chiaráin.'

A fhad agus bhí Ciarán ag caint bhí an t-eagarthóir ag amharc ar a cuid ingne snasta dearga.

'Bhí dúnmharú ann oíche Dé hAoine. Fuair nuachtáin an Domhnaigh an mhórchuid. Labhair na teaghlaigh. Is beag a thig linn a dhéanamh ag an phointe sin ach fanacht ar na Gardaí stiúir a thabhairt dúinn,' a dúirt sé.

Chuir Bean Uí Shúilleabháin suas a lámh agus stop sí é.

'Ní fhaca mise tagairt ar bith sna nuachtáin go raibh baint aige le mangairí drugaí in iarthar na cathrach. Glacaim leis go bhfuil tús curtha le cogadh talaimh?'

Níor labhair Ciarán. Chaith Bean Uí

Shúilleabháin síos an fón.

'Bhuel, 'bhfuil mé ceart nó contráilte?'

Labhair fear óg a bhí ina shuí ag a taobh.

'Deirtear go raibh ceangal ann. Déanfaidh mé iarracht labhairt le duine acu inniu.'

'Ceart go leor,' a dúirt Bean Uí Shúilleabháin agus shlog siar bolgam caife.

Líon boladh pónairí caife an seomra agus ar feadh soicind bhí suaimhneas ann.

'Déanaigí deifre,' a dúirt sí go cantalach, ''bhfuil rud ar bith eile seachas sin ar siúl? Déanaigí deifre. 'Bhfuil fonn ar bith oraibh scéal maith a chur romham?'

Chuir siad siúd a bhí i láthair a gcuid smaointe in iúl: imreoir ar fhoireann rugbaí na hÉireann ag troid taobh amuigh de chlub oíche, fadhb airgeadais ag baincéir saibhir éigin, casadh ar scéal fheachtas na dtáillí uisce agus fear a rinne éigniú ar pháistí a scaoileadh saor.

Thóg Bean Uí Shúilleabháin a ceann.

'Fág na táillí uisce ag an chomhfhreagraí Dála; níl suim ar bith agam san imreoir rugbaí; déan píosa gairid ar leathanach a seacht má tá comhad imithe chuig an DPP; fadhb airgeadais an bhaincéara, tabhair thusa leat sin, a Chiaráin, tá tusa mór go maith le lucht an airgid agus, a Bhríd, tabhair leat an scéal faoin fhear atáthar ag géarú chun siúil.

'Tá rún agam go mbeadh sin ar an leathanach tosaigh má labhraíonn duine de na híospartaigh. Níor labhair duine ar bith acu go dtí seo agus más buan mo chuimhne ba scéal mór a bhí ann de bharr an oiread sin daoine a ndearna an fear céanna seo mí-úsáid ghnéis orthu. Sin a bhfuil,' a dúirt sí ag coimeád sracfhéachaint orthu uilig agus ag tiontú chuig an ríomhaire ar a deasc.

Bhí an fhoireann uilig den bharúil go raibh Bean Uí Shúilleabháin níos géire ná mar a bheadh eagarthóir fireann ar bith, ach ghlac siad leis gur sin an rud a d'fhág sa phost í ó thús deireadh.

Bhí Bríd imníoch faoina scéal féin. Ní jab furasta a bhí ann tabhairt ar íospartach ar bith labhairt. Go minic bhí Bríd den bharúil go ndearna na meáin dochar d'intinn na n-íospartach leis an dóigh ar phléigh siad leo; lár stáitse a thabhairt dóibh ar feadh seachtaine agus iad a chaitheamh ar leataobh ansin go dtiocfadh lúb úr sa scéal agus dhéanfadh na meáin a saol a roiseadh arís agus d'fhágfadh siad na híospartaigh lom agus folamh.

Ach, sin an jab a bhí aici agus bheadh uirthi é a dhéanamh go cinnte gasta.

'A Bhríd, tar isteach anseo,' a dúirt Bean Uí Shúilleabháin.

'Tuigim go ndeachaigh muidne sa tóir ortsa. Coinnigh thusa cuimhne go bhfuil go leor daoine ar mhaith leo a bheith sa phost chéanna leat anseo, níl tú sa *Donegal Gazette* anois, achan lá beidh ort an scéal is fearr, leis na fíricí is fearr a thabhairt chun tábla agus sin a bhfuil ann de.'

Rinne sí comhartha i dtreo an dorais.

'Agus na daoine sin amuigh ansin, ní cairde iad, beidh éad orthu leat agus an soicind a thiteann tú ar scéal beidh siad i do mhullach mar a bheadh paca leon ann, sin a bhfuil,' a dúirt sí.

Shiúil Bríd amach agus dhírigh ar an deasc.

Rinne sí cuardach ar an scéal ar an idirlíon agus d'aimsigh cúlra an scéil.

Fuair sí uimhir an abhcóide a bhí ag déileáil leis an chás ar son an fhir agus chuir scairt air. Chuir sé iontas uirthi go raibh sé chomh cuidiúil; dhearbhaigh sé na blianta agus an áit ar tharlaigh na heachtraí. Bhí siad ar an mhórchuid i dtuaisceart na cathrach.

Suas go dtí an deasc le Bríd agus d'iarr cead an oifig a fhágáil. Thuig Bríd na buanna a bhí aici, dá mbeadh sí ábalta díriú isteach ar dhaoine sa cheantar bheadh an scéal léi. Bheadh daoine i dtólamh cainteach nuair a bhí duine i láthair.

Scaoil Ciarán saor í. Isteach sa charr léi. Chuir sí na comhordanáidí isteach san fhón agus dhírigh ar an cheantar.

Agus í ag tiomáint tríd an chathair, shamhlaigh Bríd an trácht uilig ag sileadh isteach agus amach as croí na cathrach, mar a bheadh féitheacha na beatha ann.

Nuair a shroich sí an áit, chuaigh sí chuig an ollmhargadh le buidéal uisce a cheannach. Bhí an fón ag bualadh; an deasc a bhí ann.

'Ádh ar bith go fóill?' Glór Chiaráin a bhí ann.

'Níl mé ach i ndiaidh cur fúm anseo,' a d'fhreagair Bríd go gasta.

'Bhuel, déan deifre. Tá bus i ndiaidh imeacht den bhealach cúpla míle uait agus beidh ort na sonraí sin a chlúdach chomh maith,' a dúirt sé agus ansin bhí sé imithe.

D'iarr Bríd buidéal uisce ar fhear an tsiopa. Thóg fear an tsiopa spiorad Bhríd lena chuid cainte agus a nós gealgháireach.

Ghlac Bríd an deis.

'Is iriseoir mise le *The Irish Telegraph*. An bhfuil a fhios agat go bhfuil siad ag scaoileadh chun siúil amárach an fear a rinne mí-úsáid ghnéis ar pháistí ar an tsráid seo? Ní bheadh a fhios agat cé a dtiocfadh liom labhairt leis faoin scéal?'

D'amharc an fear uirthi ar feadh soicind agus líon a chuid súl le deora.

'Tá a fhios agam an scéal go rímhaith, ar an drochuair. Ní thig liom a chreidbheáil go bhfuil siad ag scaoileadh an ainmhí sin saor. Rinne sé

11

mí-úsáid ghnéis ar mo nia féin. Mhill sé a shaol. Is é leabhar a ba chóir duit scríobh. Leabhar a deirim leat!' ar sé, ag bualadh a dhoirn ar an tábla a bhí eatarthu.

D'amharc Bríd thart agus bhí sí sásta nach raibh duine ar bith eile sa tsiopa. Sin ráite, thuig sí pian an fhir fosta.

'Tuigim duit. Sin an chúis go bhfuil mé anseo. Ba mhaith liom labhairt le híospartach. Níor cheart cead siúil a thabhairt dá leithéid gan eolas a bheith ag an tsaol mhór air. An ndéanfaidh tú gar dom? An gcuirfeá ceist air an mbeadh sé sásta labhairt liom? Ní gá dó a ainm a thabhairt ar chor ar bith, munar mhian leis. Is é sin a chinneadh féin.

'Bheadh sé ag déanamh éachta dá labhródh sé linn. Bheadh muid ábalta pictiúr an fhir sin a chur sa nuachtán agus bheadh scoileanna, páistí agus tuismitheoirí uilig ar an airdeall. Dhéanfadh sé páistí eile a chosaint agus nár sin an rud ba thábhachtaí?' a dúirt Bríd.

Sheasaigh an fear siar ón tábla. Thosaigh sé ag labhairt go híseal le duine éigin. Ní raibh

Bríd ábalta é a mhothú de bhrí go raibh sé ag cogarnach.

'Tá sé sásta labhairt leat. Beidh sé i dteach tábhairne Uí Annagáin i gceann fiche bomaite,' a dúirt fear an tsiopa.

Léim croí Bhríd le háthas, cheannaigh sí an t-uisce agus d'fhág a huimhir aige ar eagla go mbeadh scéal aige ar mhian leis aird a tharraingt air amach anseo.

Fuair Bríd scairt ó Chiarán ar an bhealach go dtí an carr. Thug sí an dea-scéal dó. In ionad moladh a thabhairt di, d'iarr sé uirthi deifre a dhéanamh. Bhí bolg Bhríd nimhneach leis an strus. Níor thuig sí go mbeadh an oiread sin brú á chur uirthi.

Ar an bhealach go dtí an teach tábhairne, d'éist Bríd leis an raidió. Ba é tubaiste an bhus a raibh siad ag díriú air sna ceannlínte, bhí go leor daoine sásta labhairt agus bhí páiste amháin tugtha chun na hotharlainne.

Rith sí isteach go dtí an teach tábhairne agus leis sin chuimhnigh sí nach raibh dóigh ar bith aici an leaid a aithint. Bhí an teach tábhairne lán go leor. D'iarr sí sú oráiste ar fhear an bheáir. Chaith sí súil ar an chomhluadar. Ní mó ná sásta a bhí siad go raibh strainséir istigh.

Leis sin chonaic sí é. Bhí sé istigh sa chlúid agus an darna pionta á ól aige. Bhí a fhios aici gurb é a bhí ann, shlog sé siar an bheoir mar a bheadh gamhain óg ann. Bhí paca toitíní taobh leis agus a chuid méar buí ón chaitheamh.

Shuigh sí síos uaidh.

'Mise Bríd Nic Aoidh,' a dúirt sí leis.

D'amharc sé síos agus dúirt.

'Bhí a fhios agam gur tú a bhí ann. Ní thagann tú anseo go rialta.'

Bhí a fhios ag Bríd go mbeadh uirthi jab gasta a dhéanamh leis ach ag an am chéanna bhí gá le bheith ríchúramach.

'Tuigeann tú cad chuige a bhfuil mé anseo. Tá deis labhartha agat anois agus déan an chuid is fearr di.'

'Cad é ar mhiste le duine ar bith cad é an bharúil

atá agamsa faoi faic,' a dúirt sé go híseal.

Chonaic Bríd go raibh sé ag éisteacht le Eminem ar a fhón.

'Seans gur sin an rud céanna a smaointigh Eminem ach tugann a chuid ceoil agus a chuid tuairimíochta faoiseamh do na mílte. Éisteann siad leis agus tuigeann siad nach bhfuil siad ina n-aonar agus go bhfuil daoine eile ag fulaingt ar an dóigh chéanna leo féin. Sin an chúis a n-éisteann tusa leis, nach ea?'

Tháinig solas ina chuid súl agus chonacthas do Bhríd go raibh an rud ceart ráite aici. D'inis sé an scéal samhnasach di ó thús deireadh. Mhothaigh Bríd a cuid súl ag dó le deora a fhad agus a bhí sé ag caint. Rinne sé gach focal a thomhas agus bhí sé cliste agus ábalta leis an scéal.

Nuair a d'fhág Bríd an teach tábhairne chonacthas di go raibh saol an leaid óg amú. Ina cuid samhlaíochta, chonaic sí é ag siúl ar thrá gheal san Astráil, é ina innealtóir agus cailín óg bhán le bláthanna bándearga ina cuid gruaige ar lámh leis. Bhí deis an ghnáthshaoil sin sciobtha uaidh an soicind a leag an diabhal sin méar air agus anois bhí a shaol millte ag saint agus tinneas duine eile.

Léim sí isteach sa charr agus rún aici, an scéal a insint chomh maith agus a d'fhéadfadh sí. Bhí an fón ag bualadh arís.

'Cad chuige nach raibh tú ag freagairt d'fhóin?' arsa Ciarán.

'Ní fhéadfainn an fón a bheith ar siúl agam agus mé ag déanamh an agallaimh sin,' a dúirt sí agus an fhearg ag sileadh isteach ina croí ina tuillte.

'Ní sin an nós atá anseo, a Bhríd, bíodh d'fhón ar lámh leat i rith an ama. Anois, díreach go dtí otharlann San Séamas agus labhair leis an teaghlach, tá sonraí glactha againne ón raidió, mar sin ní gá duit, ag an phointe seo, a bheith buartha faoi sin.

Bhrúigh Bríd an fón as agus í ag éirí tógtha. Thiomáin sí go dtí an otharlann agus chonaic sí scata iriseoirí ina seasamh ag an doras. Thóg sí a fón le taifead a dhéanamh agus thóg léi leabhar nótaí agus peann ar eagla na heagla agus rith.

Nuair a d'fhill sí ar an oifig bhí sé i ndiaidh a

cúig. Níor thóg duine ar bith a cheann. Bhí méara ag bualadh na méarchlár agus cluasáin sna cluasa acu.

D'inis cailín an pasfhocal di agus thosaigh Bríd ag scríobh go gasta. Nuair a bhí an dá scéal scríofa aici bhí sé i ndiaidh a sé agus bhí am baile ann.

D'éirigh sí ón deasc agus chuir uirthi cóta. Níor labhair duine ar bith léi nuair a d'fhág sí. Thuig sí nach mó ná sásta a bhí siad go raibh sí anseo. Bheadh go leor acu ag iarraidh a poist.

Istigh ina hárasán beag ar imeall Chearnóg Mhuirfean, chuimhnigh sí ar an bhaile. Bhí sé a hocht a chlog. Ní raibh faic ite aici, bhí sí tuirseach agus bhí sí buartha faoin chinneadh a rinne sí a post buan in *The Donegal Gazette* a fhágáil.

D'amharc sí amach an fhuinneog agus chonaic sí an ghealach lán. D'amharc sí amach ar na foirgnimh ar éagsúlacht airde, ar nós méarchlár pianó, ag tarraingt isteach uirthi agus bhuail uaigneas tobann í san árasán bheag.

Cé gur stop sí ag caitheamh tobac le sé bliana,

bhí paicéad i dtólamh léi ar eagla na heagla. Tharraing sí ceann dá cuid boscaí as a chéile go bhfuair sí iad. Shuigh sí siar agus chaith sí ceann. Nuair a bhí sí críochnaithe rinne sí cinneadh ceann eile a bheith aici amárach.

Chuaigh sí a luí faoin ghealach lán an oíche sin ach níor chodlaigh sí.

2

Thit an geimhreadh siar isteach sa tsamhradh agus d'aithnigh Bríd go raibh cloch meáchain caillte aici. Cé go raibh sí sásta thuig sí go rímhaith gur brú agus strus na hoibre ba chúis leis. Ba bheag lá a bheadh lón nó fiú dinnéar aici de bhrí na ndúshlán a bheadh roimpi san áit seo.

Bhí sé a naoi a chlog ar maidin agus bhí éadach ildaite an tsamhraidh á chaitheamh acu seo a bhí ag siúl ar an tsráid lasmuigh den oifig. Chuir saoirse an tsaoil seo éad ar Bhríd. Ní raibh lá saor ar bith aici ach an Satharn agus bhí eagla uirthi ceist a chur faoi choinne lá ar bith eile.

Ní raibh sí ar conradh acu go fóill. Sin an nós a bhí ag na nuachtáin seo, dhéanfadh siad an chuid is fearr a bhaint asat, dhéanfadh siad iarracht tú a bhriseadh ionas go bhfeicfeadh siad arbh fhiú an post thú.

Go minic sula bhfaigheadh siad réidh le hiriseoir óg soineanta, dhéanfadh siad a leabhar teagmhálacha a fháisceadh. Cuirtear brú ar iriseoirí úra na teagmhálacha is fearr acu a mhilleadh. Faoin am ar chaill siad a bpost ní bheadh an teagmháil sin acu a thuilleadh.

Scairt Ciarán ó chúl na deisce.

'Tá an B.U.S ar an bhealach. Chuir Johnny scairt aníos ón deasc tosaigh. Bígí ullamh a fhoireann, bígí réidh nó bígí istigh faoin B.U.S.'

Rinne an seomra nuachta gáire beag neirbhíseach. Bhí an leasainm an B.U.S ar Bhean Uí Shúilleabháin ag Ciarán de bharr inisileacha ainm an eagarthóra.

Isteach le Bean Uí Shúilleabháin. Í gleoite i gculaith éadrom dhonn agus gan amharc ar dhuine ar bith chuaigh sí isteach san oifig agus thosaigh ag ól caife a bhí léi ina lámh.

Bhí Bríd sásta. Bhí scéal aici don lá inniu. Chuir fear an tsiopa scairt uirthi i rith na seachtaine agus d'inis di go raibh fear eile ar an tsráid a bhí i ndiaidh gearán a dhéanamh leis na Gardaí faoi mhí-úsáid ghnéis a bheith déanta air.

Dúradh le Bríd gur deartháir an fhir a bhí i

ndiaidh a bheith scaoilte saor ón phríosún a raibh an gearán á dhéanamh ina éadan. Dheimhnigh Garda an scéal di. Bhí an Garda ina chara aici le fada. Tháinig siad go Baile Átha Cliath ag an am chéanna ach ní bhfuair siad deis bualadh le chéile go fóill.

Garda óg gealgháireach a bhí ann agus bhí ardmheas ag Bríd air. Bhí a chuid fadhbanna féin aige. Bhí seisean aerach agus é ag obair sna Gardaí agus bhí eagla an bháis air go bhfaigheadh a chuid comhghleacaithe amach faoin rún.

'Isteach libh anois,' a scairt Ciarán.

Rith siad uilig isteach san oifig agus gach duine ag iarraidh an coirnéal ba chóngaraí don doras a bhaint amach. Dhéanfadh na daoine úra i dtólamh an botún céanna, suí sa chathaoir díreach os comhair Bhean Uí Shúilleabháin ach ní dhéanfadh siad an botún céanna an darna hiarraidh.

Chas an t-eagarthóir ar an chathaoir agus dúirt focal simplí amháin.

'Scéalta.'

Thosaigh Ciarán.

'De bhrí gur seo an tseachtain le haird a thógáil ar fhoréigean baile sílim gur chóir dúinn scéal a dhéanamh le bean nó fear atá ag fulaingt leis an fhadhb seo.'

Bhris Bean Uí Shúilleabháin isteach air.

'Gné-alt, lár nuachtáin. Cuir blaiseadh ar an leathanach tosaigh agus ar an tsuíomh gréasáin ag rá go bhfuil muid ag tacú leo seo atá ag fulaingt is mar sin ar aghaidh… A Bhríd, labhair le duine acu,' a dúirt sí agus ansin, ''bhfuil rud ar bith eile agat dom?'

'Tá,' a dúirt Bríd, ag amharc ar liosta a cuid scéalta. Luaigh sí an ceann faoin mhí-úsáid ghnéis i dtuaisceart na cathrach.

'Ní maith liom an scéal sin. Tá réalta mór de chuid Mheiriceá ag fanacht i mBaile Átha Cliath inniu. Ba mhaith liom dá ndéanfá Minty a leanúint inniu. Labhair le fir doirse, daoine sna siopaí a bhfuil sí ag siopadóireacht iontu. Ba mhaith liom cineál blaiseadh a fháil ar cad é an cineál duine í an ceoltóir seo,' a dúirt sí.

Mhothaigh Bríd í féin ag caint sular chuir sí na focla i gceann a chéile. 'B'fhearr liomsa i bhfad leanúint ar aghaidh le scéal na mí-úsáide gnéis. Cad chuige nach ndéanfadh an t-iriseoir sóisialta an scéal eile?'

Thit ciúnas marfach sa tseomra. Níor labhair duine ar bith. Bhí leath na foirne ag amharc ar a gcuid fón ag ligean orthu féin go raibh an fón ar an rud ba thábhachtaí ar dhroim an domhain.

Dhírigh Bean Uí Shúilleabháin í féin suas. Chuir sí síos an fón a bhí idir lámha aici go mall, gan a cuid súl a thógáil ó chuid Bhríd agus dúirt go mall réidh. 'Amach le achan duine seachas Bríd.'

D'fholmhaigh an seomra níos gaiste ná bróga i sladmhargadh de chuid Brown Thomas. Rinne Ciarán gáire beag léi ar a bhealach amach.

Níor labhair Bean Uí Shúilleabháin ar feadh cúig bhomaite nuair a d'fhág an fhoireann. Léigh sí trína cuid ríomhphost. Rinne sí coinne a cuid gruaige a fháil daite ar an Luan. Labhair sí le cairde faoi chóisir na hoíche sin.

D'éist Bríd le gach rud agus an t-allas ina rith síos a droim. Bhí ciall aici gan labhairt.

Thiontaigh Bean Uí Shúilleabháin chuici go gasta.

'Ba mhaith leatsa leanúint ar aghaidh leis an scéal faoi mhí-úsáid ghnéis. Cad chuige?' a dúirt sí.

'Tá sé tábhachtach go ndéanfadh muid na scéalta seo a chlúdach. Is rud atá sa mhí-úsáid ghnéis a stróiceann an t-anam as an óige. Tá na mílte fágtha faoi na fóid aige i reiligí ó cheann ceann na tíre seo. Níl suim ar bith agam i scéal faoi bhean óg éigin ar an scáileán nó atá i ndiaidh *Grammy* a bhaint. Cuireann siad déistin orm,' a dúirt sí agus láidreacht ag teacht ina glór.

Thóg sí anáil.

'Tá na daoine seo ag saothrú airgid mhóir. Ní hamháin sin ach tá siad ag baint an aráin amach as béil daoine óga atá ag fiach slite beatha a bhaint amach dóibh féin in earnáil éagsúil. Ní leor go bhfuil airgead mór saothraithe ag na réaltaí seo ó bheith ag aisteoireacht nó ag ceol. Anois, táthar ag coinneáil tallann óg siar ó bheith páirteach i scannáin, i gceol, fiú i bhfógraíocht teilifíse. Ní chluintear glór gnáthdhaoine fiú sna cartúin. Táthar ag síortharraingt as an tobar chéanna de bharr go bhfuil aithne ag daoine orthu...'

Chuir an t-eagarthóir suas a lámh agus stop sí Bríd ag caint.

'Bhuel nach tusa atá cineálta,' a dúirt Bean Uí Shúilleabháin.

'Sin ráite, a Bhríd, má chuireann muidne pictiúr den réalta seo ar an leathanach tosaigh le scéal eisiach air, do bharúil an mbeadh níos mó ráchairte ar an nuachtán?

'Glac leis nó ná glac leis, ach na daoine a thógann an nuachtán de bhrí na bpictiúr seo a íocann do thuarastal. Ba mhaith linn uilig an saol a chur ina cheart ach ní sin an chaoi a bhfuil sé ná a bheas sé, a chailín,' a dúirt sí.

Thosaigh Bean Uí Shúilleabháin ag stróiceadh scéal na mí-úsáide gnéis as a chéile.

''Bhfuil níos mó ná íospartach amháin againn?'

'Níl' a d'fhreagair Bríd.

''Bhfuil an DPP ag glacadh leis an chás?' an chéad cheist eile.

'Níl a fhios agam…'

Ghearr an t-eagarthóir isteach uirthi arís.

'Ní bheidh an DPP ag tógáil an fhillteáin, a Bhríd. Go hiondúil ní ghlacann an DPP le gearán ó dhuine amháin. Ní bheidh go leor fianaise ann. Smaointigh ar Reacht na dTréimhsí chomh maith. Ar tharlaigh an mhí-úsáid ghnéis na blianta ó shin?' a d'fhiafraigh sí.

'Tharlaigh,' a dúirt Bríd.

'Glacaim leis go dtuigeann ár gcomhfhreagraí coiriúlachta nach bhfuil mórán seans ag an chás seo?' a dúirt an t-eagarthóir.

'Tuigim,' a dúirt Bríd agus an nuacht seo ag cur iontais uirthi.

Thóg Bean Uí Shúilleabháin péire gloiní amach as sparán snasta agus bhuail ar a gaosán iad.

'Imigh anois agus déan do chuid oibre. Sin a bhfuil uaim,' agus chaith sí méar dhaite i dtreo an dorais.

Shiúil Bríd amach agus a hintinn trína chéile. Mhothaigh sí mar a bheadh duine ann a bhí i ndiaidh dhá bhabhta a bheith aici le Tyson agus drochspionn air.

Shuigh sí síos agus chuir scairt ar an *Four Seasons*. Bhí Minty ann ceart go leor. Bhí an oíche caite aici ag ól agus ag scairteadh agus ag briseadh troscáin. Bhí faobhar sa scéal seo. Bhí a fhios ag Bríd go raibh an leathanach tosaigh léi. Tugadh le fios di go raibh an réalta ag tarraingt ar Shráid Grafton agus an fhéidearthacht ann go ndéanfadh sí tuilleadh damáiste.

D'fhág Bríd an oifig faoi luas. Chuala sí Ciarán ag cur béice ón deasc.

''Bhfuil tú ag imeacht uainn mar sin?' a dúirt sé agus aoibh an gháire ar a aghaidh.

Chonacthas do Bhríd go raibh sé den bharúil go raibh sí ag fágáil an jab.

D'amharc sí díreach air agus an diabhal ag damhsa sna súile aici.

'Ó níl, tá mé ag imeacht leis an leathanach tosaigh a shocrú duit, mar is dual dom,' agus leis sin thiontaigh sí ar a sáil agus d'fhág sí.

Bhí a fhios aici go mbeadh an fhoireann uilig ag caint fúithi ach níor mhiste léi. Bhí siad ag iarraidh uirthi imeacht.

Nuair a d'éalaigh sí ón fhoirgneamh thosaigh a fón ag bualadh. A máthair a bhí ann. Ní sásta a bhí Bríd. Seans maith go raibh scéal éigin aici faoina mac, Fionn. Bhí a máthair ag tabhairt aire dó a fhad agus a bhí Bríd ag cur fúithi sa chathair.

Bhí Fionn mar thoradh ar sheanchaidreamh trioblóideach a bhí ag Bríd nuair a bhí sí óg. Ní raibh aithne ag Fionn ar a athair, Éamonn. Seans maith nach mbeadh aithne go deo aige air dá mbeadh a bealach féin ag Bríd ach bhí Fionn ag tarraingt ar ocht mbliana déag agus ag Dia atá a fhios cad é a thitfeadh amach ansin.

Thóg Bríd an fón soghluaiste.

'Sea, cad é atá de dhíobháil ort? Tá a fhios agat go bhfuil mé ag obair.'

'Tá mé iontach buartha cur isteach ort, a Bhríd. Tá a fhios agat nach dtuigimse an brú a bhfuil tú faoi leis an obair sin ach bhí mé ag cur scairt ort le labhairt leat faoi Fhionn. Níl sé mar is ceart. Tá rud éigin contráilte leis. Tharraing sé an teach as a chéile orm aréir. Ansin shuigh sé sa choirnéal agus é ag caoineadh agus ar crith. B'éigean dom é a chur a luí le buidéal te. D'éirigh sé ar maidin inniu agus a dhá shúil marbh ina cheann. Le bheith ionraic níl a fhios agam cad é le déanamh leis,' a dúirt Nóra.

Mhothaigh Bríd an crith a bhí i nglór a máthar. Thuig sí go raibh sí ar tí dul ag caoineadh. Bhí a goile ina béal ag Bríd agus í ag tiomáint agus bhraith sí pian fhisiceach ag stróiceadh a corp as a chéile. Rinne Bríd an rud a rinne sí i dtólamh. Mhúch sí an phian le briathra borba a d'eascair as a ceann go cinnte gasta.

'Bhuel, déileáil leis. Níl mise ábalta rud ar bith a dhéanamh abhus anseo i mBaile Átha Cliath. A Mhaighdean Mhuire, tá mise ag obair ó dhubh go dubh le saol bog a thabhairt daoibhse. Gheobhaidh mise troscán úr duit, rudaí níos deise. Níl mé ábalta labhairt i láthair na huaire. Tá mé amuigh ar scéal,' a dúirt sí go drochmhúinte.

Mhothaigh sí a máthair ag tarraingt isteach anáil ar an taobh eile den fhón.

'Cuirfidh mise ina cheart é, ná bí buartha faoi sin. Beidh mise roptha ar nóibhéine láithreach bonn dó. Déanfaidh mé an uair bheannaithe fosta. Mo thuairim go bhfuil sé ar an aois sin, go díreach. Ádh mór ort agus do scéal. Tá an baile uilig bródúil asat,' a dúirt sí sular imigh sí.

Chuir Bríd síos a bróg. Chonaic sí otharcharr ag tarraingt aníos ar a cúl. D'imigh sé le scread agus chuimhnigh Bríd ar na laethanta a chaith sí istigh i gcúl an ghluaisteáin chéanna, an fhuil ina rith ina sruthanna léi. Smaointigh sí go raibh pian intinne i bhfad níos measa ná pian fhisiceach.

Ar a laghad feictear súil dhubh ach an lorg is measa ná an chréacht atá ag déanamh sileadh san intinn. Ní raibh gléas ar bith a dhéanfadh an damáiste sin a thomhas nó a mheas.

De bhrí an ghortaithe a d'fhulaing Bríd le linn an ama sin, thiontaigh a croí go cloch. D'éirigh sí láidir agus ní ligfeadh sí do dhuine ar bith fáil tríd an bhlaosc a bhí anois mar a bheadh scáil ann thart ar a hanam.

D'fhulaing siad siúd a bhí thart uirthi nó go raibh sí ag cuardach an chaighdeáin chéanna fuachta uatha agus a bhí inti féin. Bhí fuath aici ar laige agus dhéanfadh sí briathra borba a úsáid ag gach deis le sin a chur in iúl do dhaoine.

Chaith Bríd an lá ag caint le cailíní gleoite i siopaí agus i mbialanna lár na cathrach. D'amharc sí ar an smideadh álainn a bhí orthu, an t-éadach galánta a bhí curtha le chéile go deas orthu agus smaointigh sí ar an tsaol suarach a bhí aici féin.

Nuair a d'fhill sí ar an oifig scríobh sí an scéal don leathanach tosaigh. Bhí Minty glan as a meabhair ach ag an am chéanna bhí sí ag saothrú *mint*. Dhéanfadh Bríd an tsamhail seo a oibriú isteach sa cheannteideal.

Bhí an lá caite ag Minty ag ól agus ag tabhairt drochíde do dhaoine. Dhéanfadh Bríd seo a scríobh go lom, fuar arís eile ag úsáid focla le fearg a nochtadh do na céadta mílte. Nuair a bhí an scéal sin scríofa aici chuir sí tús leis an cheann maidir le foréigean baile.

Níor smaointigh sí ach scríobh. Mhothaigh sí an phian agus an crá croí ag scuabadh na bhfocal isteach ar an leathanach agus nuair a chuir sí lánstad ag deireadh an phíosa mhothaigh sí go raibh lorg a saoil fágtha aici ar an pháipéar bán a shuigh ansin go balbh os a comhair amach.

Sular fhág sí an oifig an oíche sin chuaigh sí trí na línte nuachta. D'aithnigh sí líne amháin ó shaoiriseoir i bPort Láirge. Ba é an méid a léirigh sé ná go bhfuair máthair Minty bás aréir.

Baineadh stangadh as Bríd. Thuig sí anois cad chuige ar imigh an réalta ar mire tríd an bhaile inniu. Is é ag teacht abhaile ag tórramh a máthar a bhí sí. Ní raibh an scéal sna meáin de bhrí nárbh fhíormháthair Minty í. Rinneadh Minty a uchtú agus bhí sloinne difriúil aici féin agus an teaghlach i bPort Láirge a thóg í.

Bhí an seomra nuachta folamh agus bhí a fhios ag Bríd go raibh nuachtán na Sasanach, *The English Telegraph,* le rith leis an scéal Éireannach ar an leathanach tosaigh fosta.

Chuir sí scairt ar Chiarán ach ní raibh sé ag tabhairt freagra. Chuir sí scairt ar dheasc *The*

English Telegraph agus mhínigh sí an scéal d'eagarthóir nuachta na Sasanach, John Bell.

'Déileáil leis agus tá súil agam nach bhfuil sé ar an idirlíon go fóill agat,' a dúirt sé agus chroch sé suas i ndiaidh tabhairt le fios do Bhríd go raibh an nuachtán le bheith foilsithe ar a deich.

D'amharc Bríd ar a fón. Bhí sé a leathuair tar éis a naoi. Buíochas le Dia nach raibh an scéal beo go fóill. Rinne sí taighde ar an idirlíon agus chonaic sí cúlra na mná óige.

Thit aghaidh Bhríd nuair a d'amharc sí ar an leathanach tosaigh. Bhí pictiúr ann di ag ól díreach as buidéal taobh amuigh den óstán.

Thosaigh Bríd ag cur scairt ar na hotharlanna uilig ag fiosrú faoin mbás. Ní raibh an saoririseoir a chuir isteach an scéal ag tabhairt freagra ar an fhón.

Sa deireadh fuair Bríd fear óg neamhoilte ar dheasc otharlainne leis an scéal a dhearbhú di. Rinne sí an scéal a athscríobh le daonnacht agus chuir uirthi a cóta agus rinne a bealach abhaile. ,

Nuair a shroich sí an t-árasán beag a bhí ag

cosaint na gcéadta euro sa mhí uirthi ní dhearna sí faic ach titim isteach a luí.

Bhuail an fón róluath do Bhríd. Bhí tinneas cinn uirthi agus bhí a cuid cnámh nimhneach. Bhí a fhios aici dá mbrúfadh sí an cnaipe suain nach mbeadh bricfeasta ar bith aici ach rinne sí cibé ar bith é.

Nuair a shiúil sí isteach san oifig, chonaic sí na nuachtáin ina luí ar an urlár agus léigh sí an leathanach tosaigh. Níorbh é a hainm a bhí luaite leis an scéal ach ceann an tsaoririseora. Níor mhiste le Bríd. Bhí sí sásta go raibh an scéal ceart agus go mbeadh a fhios ag an tsaol mhór faoi phian Minty.

Nuair a mhothaigh sí an fón ag bualadh d'amharc sí suas ar dheasc Chiaráin ach ní raibh sé ann. A fhad agus a bhí sí ag siúl anonn go dtí an deasc mhothaigh sí glór Bhean Uí Shúilleabháin.

Bhí sí ar an bhealach isteach agus í ag caint le duine éigin ar an fhón. Chaith Bean Uí Shúilleabháin súil ar oifig na nuachta agus isteach ina hoifig féin léi.

D'iarr sí ar Bhríd teacht isteach.

'Cá bhfuil Ciarán?' a d'fhiafraigh an t-eagarthóir.

'Níl a fhios agam. Bhí sé anseo mall aréir agus seans go bhfuil sé tuirseach,' a d'fhreagair Bríd.

Dhírigh cuid súl an eagarthóra uirthi.

'Ní maith an tréith dílseacht sa ghnó seo. Cuimhnigh air sin.'

Chas an t-eagarthóir thart sa chathaoir agus d'amharc amach an fhuinneog. Lean Bríd an radharc agus chonaic sí ballóga de na foirgnimh ar chónaigh daoine iontu uair den tsaol i mBaile Átha Cliath. Bhíodh scéal ar chúl gach doras sna tithe sin, bhí Bríd lánchinnte de sin. Anois bhí gach doras druidte agus píosa mór adhmaid thar a bhéal ag coinneáil na scéalta istigh. Ag plúchadh agus ag tachtadh na scéalta go dtitfeadh na ballaí isteach orthu. Ba air sin a bhí Bríd ag smaointiú nuair a stróic glór an eagarthóra í as a cuid smaointe.

'Rinne tú sárjab ar an scéal sin i dtaca le foréigean baile. Cé ar labhair tú leis?' a dúirt sí.

Chuimhnigh Bríd siar ar an scéal agus chuimhnigh sí gur bhrúigh gach focal a deor féin as a hanam.

'Bean óg a bhí inti nach raibh ag iarraidh go mbeadh a hainm luaite leis,' a dúirt Bríd agus mhothaigh sí a lámh ag gabháil go neamh-chomhfhiosach chuig an lorg a bhí faoina súil.

an intentional

Thóg an t-eagarthóir suíomh úr agus d'amharc idir an dá shúil ar Bhríd.

'Is cuma cén dóigh ar tháinig tú ar an scéal. Tá sé scríofa go maith le tuiscint agus le cúram,' ar sí.

Dhoirt an t-eagarthóir amach cupán eile caife di féin.

'Anois an chúis gur thug mé isteach anseo thú nó ba mhaith liom go ndéanfadh tú filleadh ar do bhaile féin agus oibriú ar scéal a bhaineann le drugaí a bheith ag teacht isteach ar chósta Dhún na nGall agus uaidh sin ag sileadh síos thar an tír.

'Sheol mé na sonraí chuig do ríomhphost pearsanta. Beidh cás cúirte ann amárach a bhaineann leo seo atá gníomhach sa tionscal sa

Chúirt Dúiche i Leitir Ceanainn. Beidh tú ag imeacht uainn inniu. Ná labhair le duine ar bith faoin scéal,' a dúirt Bean Uí Shúilleabháin.

Leis sin chonaic súil iolarúil an eagarthóra Ciarán ag iarraidh éalú thar an doras gan í é a fheiceáil.

'A Chiaráin,' a bhéic sí, 'gabh isteach anseo.'

Sheasaigh Ciarán isteach agus é dearg san aghaidh de thairbhe é a bheith ina rith.

'Siocair nárbh fhiú leat a bheith anseo in am ar maidin beidh tú ag comhlíonadh dhualgais Bhríd ar feadh seala,' a dúirt sí leis.

'Cá háit a bhfuil Bríd ag gabháil?' a d'fhreagair Ciarán.

D'inis Bean Uí Shúilleabháin dó go raibh Bríd ag gabháil ar saoire.

'Bailigh leat,' ar sí leis.

Nuair a d'imigh Ciarán rinne Bean Uí Shúilleabháin comhartha le Bríd an seomra a fhágáil.

D'fhág Bríd an seomra agus meadhrán ina ceann. Filleadh ar an bhaile? Nárbh é sin an rud a bhí sí ag iarraidh a sheachaint?

Leis sin mhothaigh Bríd téacs ag teacht isteach ar an fhón. Óna máthair é. Bhí Fionn san otharlann.

Sheol sí téacs ar ais ag fiosrú cad é a bhí mícheart leis agus go raibh sí ar an bhealach abhaile.

Nuair a léim Bríd isteach sa charr smaointigh sí go mbeadh sí ábalta coinneáil ag obair ar a laghad a fhad agus a bheadh sí sa bhaile.

Cé gur cheansaigh an smaointiú seo Bríd, mhothaigh sí pian ag toiseacht ina hucht. Cad é a bhí roimpi?

3

Boladh otharlainne sa tsamhradh a bhuail Bríd agus í ag siúl chuig an darna hurlár in otharlann ginearálta Leitir Ceanainn. Bhí an boladh dearmadta aici bhí sé a fhad ó bhí sí féin istigh.

Bhí sé róluath ar maidin do dhuine ar bith a bheith istigh ar cuairt ar dhaoine ach bhí a fhios ag Bríd an bealach thart ar an fhoirgneamh seo níos fearr ná cuid de na dochtúirí.

Ghlac sí casadh ar chlé agus tháinig sí ar an áit a raibh Fionn. Bhain an radharc stangadh aisti. Bhí sé ina luí sa leaba agus a chuid súl lag ina cheann agus a aghaidh chomh geal le páipéar. Bhí meáchan caillte aige.

A fhad agus a bhí sí ag tarraingt ar an leaba d'aithnigh sí go raibh cluasáin istigh aige. Chaith sí radharc ar an iPod sular shuigh sí sa tsuíochán ag colbha na leapa. Bhí sé ag éisteacht le Eminem. Mhothaigh sí míchompordach.

Chaith Fionn sracfhéachaint uirthi. Níor labhair sé. D'amharc Bríd ar a fón. Ní raibh aici ach leathuair anseo sula mbeadh uirthi a bheith sa chúirt.

'Cad é mar atá tú a thaisce?' a dúirt sí ag cur lámh ar a sciathán.

Chroith sé uaidh a lámh agus d'amharc anonn ar an bhalla. É balbh.

Bhí a fhios ag Bríd go raibh rudaí olc ach ní raibh a fhios aici go raibh rudaí chomh holc seo.

Leis sin shiúil dochtúir ard isteach sa tseomra.

Bheannaigh sé do Bhríd ag cur lámh mhór láidir chuici.

'Mise an dochtúir Tomás Mac Aindreasa.'

Rinne Bríd gáire beag leis.

'An dtiocfadh leat insint dom cad é atá mícheart le mo mhac? Tá mé buartha ach is iriseoir coiriúlachta mé le *The Irish Telegraph* agus tá mé faoi dheifre chun na cúirte,' a dúirt sí go stadach.

Rinne Fionn trup faoina anáil.

D'aithnigh an dochtúir seo agus thóg sé Bríd ar ghreim láimhe taobh amuigh den tseomra.

'Is dochtúir mise leis an ionad seo atá béal dorais, otharlann mheabhairghalair, bíodh a fhios agat. Rinne Fionn iarracht lámh a chur ina bhás féin,' a dúirt sé, ag coimhéad aghaidh Bhríd.

Lean sé ar aghaidh.

'D'inis do mháthair dom gan rud ar bith a rá leat thar an fhón mar go mbeadh tú ag tiomáint anseo.'

Rinne sé casachtach beag agus labhair leis faoi dheifir.

'Tuigim go bhfuil seo crua ach beidh orainn é a scaoileadh saor inniu. Tuigeann tú….níl faic contráilte lena mheabhair agus tá a shláinte, ar an mhórchuid, i gceart. Is rud éigin eile atá ar Fhionn. Beidh an dualgas oraibhse mar theaghlach aire a thabhairt dó agus nuair a deirim 'aire' glac leis gur sin é a choimhéad gach uile bhomaite.'

Mhothaigh Bríd an fhearg ag éirí inti.

''Bhfuil tusa ag insint domsa go bhfuil tú á scaoileadh abhaile gan fiú labhairt leis, gan cúram a thabhairt dó? 'Bhfuil faic a thig libh a dhéanamh?'

D'athraigh gnúis an dochtúra.

'Thig é a shíneadh isteach go neamhthoilteanach ach ní chuirfinnse m'ainm leis, mar dhochtúir, an dtuigeann tú? Níl faic mícheart leis ó thaobh sláinte meabhrach de. Dar ndóigh is oraibhse anois atá an dualgas é a choinneáil slán sábháilte.'

D'amharc Bríd ar an am ar an fhón. Bhí sí faoi bhrú.

''Bhfuil tusa ag rá liomsa go ndéantar daoine a dhéanann iarracht lámh a chur ina mbás féin a scaoileadh saor sa tír seo?' a dúirt Bríd.

D'amharc an dochtúir ar a uaireadóir.

'Tá an leaba de dhíth ar chailín óg a bhris a cos nuair a thit sí anuas de chapall. Níl spás ar bith eile anseo. Tá an leaba de dhíth orainn,' a dúirt sé go neamhairdeallach.

Mhothaigh Bríd tuillte na feirge ag briseadh na

blaoisce a thóg sí thar na blianta. Faoin am seo bhí banaltraí cruinnithe ag coimhéad na beirte.

'Tá cos bhriste níos práinní ná déagóir atá ag fiach é féin a mharú? An dtuigeann tusa cad chuige nach ndéanann sin ciall ar bith,' agus a glór ag ardú, 'ciall dá laghad do ghnáthdhuine cosúil liomsa? Thig leis an chos cneasú ach ní thig beatha a thabhairt ar ais don té atá imithe, ar an tsaol seo, cibé ar bith,' a bhéic Bríd.

'Tuigim do chás ach is fúibh féin atá sé anois,' a dúirt an dochtúir.

Chonaic Bríd an déistin i súile na mbanaltraí.

Thiontaigh sí ar a sáil.

'Má tharlaíonn faic do mo mhacsa béarfaidh mise an chonair chuig an otharlann seo go pearsanta agus fágfaidh mé ag do chosa é,' a dúirt sí ag imeacht uaidh.

Rinne an dochtúir a dhá mhala a thógáil in airde.

'Tá sé ag éirí mall don chúirt,' a dúirt sé agus shiúil leis.

D'imigh banaltraí achan bhealach agus thuig Bríd go raibh srianta in achan slí bheatha. Ní miste cá háit a bhfuil tú, tá údarás de chineál éigin le rudaí a choinneáil ag gabháil i gceart nó in olcas.

Smaointigh Bríd gur thuig sí an bhrí, den chéad uair, a bhí le seanfhocal a hathar, 'tosaíonn an t-iasc ag lobhadh ón cheann síos.'

Ní raibh Bríd ábalta faic a dhéanamh ach dul díreach chuig Fionn agus seasamh ag ciumhais na leapa.

'Beidh mé ar ais arís tráthnóna agat, a stór,' a dúirt sí.

D'fhág sí gan freagra.

Bhí croí Bhríd ar tí pléascadh agus í ag siúl amach as an otharlann. Bhí cúrsaí go holc agus í ag obair ar an scéal is mó dár oibrigh sí riamh air. Mhothaigh sí an phian ag filleadh i dtóin a boilg.

Tharraing sí amach a cuid eochracha as a mála, d'íoc as an ticéad agus rinne a bealach go dtí an carr. Chiúnaigh sí a cuid smaointe agus í ag siúl isteach sa chúirt. Bheadh uirthi cuma ghealgháireach agus éadromchroíoch a léiriú do na hiriseoirí a bheadh istigh roimpi.

Bhíodh aithne acu uirthi agus bheadh siad ag súil leis na mórscéalta faoina ham sa chathair agus faoi *The Irish Telegraph*.

Rinne sí aoibh an gháire agus í ag tarraingt isteach ar an tsuíochán preasa ar imeall na cúirte. Bhí ceisteanna ag teacht as achan treo agus lúcháir ar a cuid seanchairde í a fheiceáil.

A fhad agus a bhí siad ag caint d'aithnigh Bríd go raibh súile na n-iriseoirí uilig ag díriú ar bhord na cúirte.

Bhí cigire ina sheasamh ann agus ní raibh aithne ag duine ar bith air.

'Cé hé sin?' a dúirt Bríd.

Leis sin tharraing sé aniar ar thábla na n-iriseoirí.

Bhí dhá shúil Bhríd sáite ann. Bhí sé ard, dóighiúil agus cinnte de féin. Bhí a chuid súl chomh gorm le spéir samhraidh ach thuig Bríd go raibh siad chomh domhain agus chomh fíochmhar leis an fharraige fosta.

'Mise an Cigire Ó Baoighill. Cén nuachtán a bhfuil tú leis?'

D'fhreagair na hiriseoirí uilig mar a bheadh páistí scoile ann. Bhí an cultúr ann i dtólamh ag iriseoirí a bheith den tuairim go raibh siad faoi chomaoin ag na buachaillí gorma.

Ní raibh Bríd den dearcadh chéanna. Ba bheag cuidiú a thug siad di nuair a bhí sé de dhíth.

'Bríd Nic Aoidh. *The Irish Telegraph*,' a dúirt sí, ag amharc faoi choinne pinn ina mála.

'Ó anois, cén tsuim atá ag an nuachtán sin i ngnóthaí beaga na cúirte seo?' ar sé léi.

Stop Bríd ag cuardach pinn agus d'amharc air. D'aithnigh sí go raibh na súile níos goirme agus go raibh athrú iontu.

'Cad é an tsuim atá ag cigire cosúil leatsa i ngnóthaí mioniriseora neamhurchóidigh cosúil liomsa?' a dúirt sí, ag déanamh gáire shearbh leis.

Choinnigh an cigire súile Bhríd ar feadh soicind

agus chonaic sí iad ag athrú arís.

'Seans go mbeidh tú ábalta cuidiú liom le scéal. 'Bhfuil uimhir agat?' a dúirt sé agus aoibh an gháire air.

Thug Bríd uimhir a fóin dó agus iontas uirthi. Chaith sí an lá ag scríobh síos achan scéal as an chúirt. Chonaic sí an cigire ag amharc go minic uirthi agus mhothaigh sí a cuid pluc ag éirí dearg. Ní raibh amhras ar bith ann ach go raibh sé iontach tarraingteach.

Nuair a tháinig cás na ndrugaí aníos, scríobh Bríd léi. Níor chuir sise ná iriseoir ar bith eile iontas ann. Gnáthchás cúirte a bhí ann ach bhí ainmneacha na rannpháirtithe uilig de dhíth ar Bhríd.

Chuaigh Bríd amach as seomra na cúirte agus chuir glaoch ar an eagarthóir leis na sonraí. A fhad agus a bhí sí ina seasamh amuigh, chonaic sí bean mheánaosta ag tarraingt isteach ar an chúirt lena mac.

Ar an taobh chéanna den bhealach bhí fear á thionlacan ag beirt Ghardaí roimpi isteach go teach na cúirte.

Thosaigh an príosúnach ag iarraidh éalú agus tharraing na Gardaí isteach níos cóngaraí dó.

Scairt an bhean mheánaosta ar na Gardaí.

'Ligigí dó. Nach bhfuil rud ar bith níos fearr agaibh le déanamh ná a bheith ag piocadh ar an aos óg nuair ba chóir daoibh baincéirí saibhre na tíre seo a chur sa phríosún i ndiaidh an mhéid atá déanta acu? Cad é atá déanta ag an leaid beag óg cibé ar bith?'

Thiontaigh duine de na Gardaí thart agus d'inis di gur bhris sé isteach sa halla biongó i Leitir Ceanainn agus bhris fuinneoga agus uile agus go raibh an biongó curtha ar ceal ar feadh seachtaine.

Rith an bhean síos an cabhsa agus leag cic maith géar ar an fhear óg.

'Níl leacacha ifrinn te go leor duit,' a dúirt sí.

Rinne Bríd gáire agus d'fhág na sonraí ar an fhón do Bhean Uí Shúilleabháin. Ní raibh sí ag freagairt agus d'fhill Bríd ar ais ar an tseomra cúirte.

D'fhan sí go deireadh an lae agus d'fhág slán ag a cairde sna nuachtáin áitiúla.

Sula bhfuair sí deis éalú as bolg na cúirte mhothaigh sí súile an chigire ag amharc arís uirthi. D'amharc sí ar ais air agus bhí a fhios aici go raibh suim aige inti.

'A Bhríd, ar mhaith leat cupán caife?' a d'fhiafraigh sé.

D'aithnigh Bríd go raibh na girseacha eile míshásta leis an aird a bhí an cigire ag tabhairt di.

Rith cúpla smaointiú trí cheann Bhríd. Bhí sí i ndiaidh cloch meáchain a chailliúint, bhí sí ag amharc go maith inniu de bhrí go raibh a fhios aici go mbeadh sí ag teacht i dtreo na seanchairde. Seans go raibh dúil aige inti.

Lena chois sin, ní raibh fáinne pósta ar bith air.

Bhí uair an chloig ann sula dtiocfadh léi dul ar ais chun na hotharlainne. Bhí an cinneadh déanta aici.

'Ba mhaith, más tú atá ag ceannach,' a d'fhreagair Bríd.

Shiúil an bheirt le chéile go dtí na soilse tráchta agus Bríd ag smaointiú gur seans nach mbeadh an tréimhse seo sa bhaile chomh holc sin.

Istigh sa bhialann bheag trasna an bhealaigh mhothaigh Bríd í féin ocrach ach bhí faitíos uirthi ithe.

D'ordaigh an cigire dhá chupán caife agus shuigh siar ar nós fear a bhí ina shuí istigh i gcaisleán agus gur leis an mhéid talaimh a bhí thart air.

D'amharc Bríd síos agus í ag smaointiú ar cad é a dtiocfadh leo labhairt faoi.

'Is cigire úr thú,' ar sí, ag tógáil bolgam beag bídeach caife dubh láidir.

'Tá an cigire eile ag tógáil briseadh beag agus tá deacrachtaí anseo i dTír Chonaill duine a fháil le seasamh isteach dó. Bhí briseadh beag de dhíth orm féin agus tháinig mé aníos,' a dúirt sé, ag coimhéad achan bhogadh a bhí á dhéanamh ag Bríd.

Thosaigh an bheirt ag comhrá faoi Bhaile Átha Cliath agus sula raibh a fhios ag Bríd é bhí uair caite aici ag caint leis.

D'inis sí don chigire go mbeadh uirthi imeacht agus dhíol sí an táille agus d'fhág sí.

Ag tiomáint chun na hotharlainne, bhí Bríd sásta. Bhí sí níos sásta ná mar a bhí sí le fada. Bhí a croí ag damhsa ina hucht.

In ionad an t-ardaitheoir a ghlacadh chuig an darna hurlár, rith sí suas an staighre. Bhí Nóra ann roimpi agus cuma bhriste uirthi ina suí ag colbha na leapa.

Bhí cuma níos fearr ar Fhionn.

Bhí a chuid cluasán amuigh agus é ag éisteacht leis an mhéid a bhí Nóra a rá leis.

'Bhuel a leanbh, tá tú anseo,' a dúirt Nóra ag éirí ina seasamh ag tabhairt suíocháin do Bhríd.

Níor shuigh Bríd ach rinne sí comhartha lena máthair suí. Thriail sí Fionn arís.

'Cad é mar atá tú anois?' a dúirt sí leis.

Níor amharc Fionn uirthi ach scuab sé isteach a chuid cluasán arís agus thosaigh ag amharc ar an bhalla bhán ar thaobh na láimhe deise den tseomra.

Ní raibh faic a d'fhéadfadh Bríd a dhéanamh.

D'amharc a máthair uirthi go truacánta.

'Goitse a leanbh go bhfaighidh muid bolgam tae agus ansin tiocfaidh muid ar ais chuig Fionn. Caithfidh go bhfuil tú marbh ag obair agus dar ndóigh tá tú i dtólamh faoi strus agus brú leis an obair sin,' a dúirt Nóra.

Thiontaigh sí ar ais sular fhág siad an seomra agus sheas ag taobh na leapa. Thóg sí an t-léine a bhí á chaitheamh ag Fionn agus chuir a lámh ar shnáithe gorm a bhí thart ar a mhuineál.

'Sin an scaball gorm. Tá cumhacht na naomh ann. Coinnigh sin ort anois, a mhic, an gcluineann tú mé?' a dúirt sí go géar le Fionn.

Bhog Fionn a cheann aníos agus síos ach níor dhúirt sé faic.

Chuimil Nóra a dhá lámh síos lena taobh ar nós bean a bhí ag glanadh a cuid lámh ar naprún.

Choinnigh Bríd siar gáire. B'iomaí uair a chonaic sí an nós seo á chleachtadh ag a máthair agus ní dhéanfadh sí é ach go raibh sí cinnte go raibh rud éigin tábhachtach déanta aici.

Agus iad ag siúl i dtreo na bialainne d'inis Nóra di faoin oiread Aifreann agus nóibhéiní a bhí curtha le Fionn.

Ní raibh Bríd ag éisteacht. Bhí an spionn maith imithe agus bhí cruatan saoil Bhríd ag briseadh isteach ina cuid smaointe arís. Ní fhéadfadh sí é a shéanadh.

Bhí sí ag smaointiú ar Fhionn. San otharlann seo a thug sí isteach sa tsaol é agus anois bhí sé ina luí i leaba ag iarraidh an saol sin a sciobadh uaidh, uaithi, ó Nóra.

Bhí Fionn ina thachrán galánta, aoibh an gháire i dtólamh air. Bhí meas mór ag muintir an bhaile air. Dhéanfadh sé cuidiú le seandaoine agus bhí sé múinte agus béasach. Ní fhaca sí mórán difir ann gur tháinig na déaga. Thosaigh sé ag athrú ansin. D'éirigh sé ciúin agus rúnmhar. Bhí a fhios aici go raibh sé ag éirí ní ba mheasa sular fhág sí an baile.

Mhothaigh sí í féin ag éirí lag.

D'aithnigh Nóra athrú inti.

'Suigh síos a thaisce, tá a fhios agamsa tusa agus seans nár ith tú faic i rith an lae. Gheobhaidh mise greim duit.'

D'imigh Nóra agus í ag glanadh ná lámh síos léi arís ar nós agus go raibh sé thoirtín déag aráin á ndéanamh aici.

Ar ais léi i gceann cúig bhomaite agus bhuail dinnéar breá síos roimh Bhríd. Bhí cearc rósta agus glasraí ina suí ar an phláta agus mhothaigh Bríd an boladh a thug ar ais go laethanta a pósta í – na laethanta sin nuair a bhí sí sásta, ní na laethanta nuair a bhíodh sí ag glanadh an dinnéar ón urlár.

Go hiondúil ní dhéanfadh Bríd é a ithe ach d'ith sí gach greim dá raibh ar an phláta agus nuair a d'amharc sí anonn ar Nóra bhí a fhios aici go raibh sí sásta.

'Anois a stór, seans go bhfuil go leor ceisteanna agat…' ar sí.

Bhí Bríd ag amharc amach an fhuinneog agus chuir an abairt iontas uirthi.

Ní raibh ceisteanna ar bith aici. Ní raibh ag gabháil trína ceann ach go ndearna Fionn iarracht lámh a chur ina bhás féin.

'Thóg Fionn lear de mo chuid drugaí aréir. Drugaí a thógaimse do mo chroí a bhí iontu agus leoga féin, tá siad láidir. Ghlan sé an prios amach. Bhí sé ag déanamh rudaí iontacha le cúpla lá, ag fágáil an tí agus ag teacht ar ais i ndorchadas na hoíche. Tá mise den bharúil go bhfuil girseach aige. Tá sé seacht mbliana déag, tá sé in am aige cailín beag deas a bheith ar lámh leis,' a dúirt Nóra agus cuma fhíorbhuartha uirthi.

Chuir Bríd a lámh ar cheann a máthar. 'Ná bí buartha. Rinne tú do dhícheall,' ar sí go suaimhneach.

Leis sin tháinig comharsa bhéal dorais aniar acu.

'A Bhríd, nach tú atá ag amharc go deas. Ó, a Dhia, amharc an *style*,' a dúirt Annie Ní Bhriain agus í ag tabhairt aird ar cheirteacha Bhríd.

D'amharc Annie thart agus chuir cuma rúnmhar uirthi féin.

'Tá súil agam nach bhfuil aon duine istigh agaibh. Mhothaigh muid go raibh otharcharr ag an tigh aréir. A Dhia cad é a tháinig oraibh? 'Bhfuil Fionn ceart go leor, an créatúr?' ar sí agus an fhiosracht ag glioscarnach ina cuid súl le haoibh. D'oscail Nóra a béal le labhairt ach bhris Bríd isteach.

'A Annie, nach bhfuil sé galánta tú a fheiceáil. Tá súil againn nach bhfuil duine ar bith istigh agat féin nó an isteach le greim bia a fháil i ndiaidh na cúirte a tháinig tú? Chonaic mé go raibh Antóin istigh inniu. Mór an trua nach mbeidh sé ábalta tiomáint ar feadh dhá bhliain de bharr nach raibh árachas ar bith ar a charr aige agus é ag teacht abhaile ó Thigh Ghrianna. Nach mór an t-ádh nach ndearna siad seiceáil an raibh ólachán ar bith sa ghrágán aige. Ó sea, an Garda Mac Giolla Chomhaill a stop é, tá gaol eadraibh, nach bhfuil?' a dúirt Bríd agus í ag déanamh aoibh an gháire i rith an ama.

D'éirigh an bheirt agus chuaigh ar ais go seomra Fhinn.

Sheasaigh Annie ansin agus a béal ag oscailt agus ag druid agus ní raibh athrú scéil aici ach siúl léi.

'Níor ghá duit sin a dhéanamh le hAnnie, ní raibh sí ach ag cur ceiste ar mhaithe linn féin. Ní chailleann sí sin oíche ar bith ón Aifreann,' a dúirt Nóra agus an gáire ag briseadh uirthi.

'Bhuel caillfidh anois,' a dúirt Bríd 'agus ba chóir go mbeadh a fhios aici gan a leithéid de cheist a chur ar dhuine istigh in otharlann. Ní chuirfeadh an sagart féin ort é.'

Bhí Fionn go fóill ina shuí ag amharc ar an áit chéanna ar an bhalla. Ní raibh brí ar bith ann. Bhí sé lag leis an tsaol.

Thuig Bríd an mothúchán sin ach b'eisean a choinnigh sa tsaol seo ise.

Líon siad a mhála agus nuair a bhí Fionn réidh, d'fhág siad.

Sheasaigh Fionn ag doras sheancharr Nóra agus é ag caitheamh tobac.

Chuir seo iontas ar Bhríd ach níor dhúirt sí faic. Ghoill sé uirthi nach raibh sé ag teacht léi féin.

Ag teacht isteach ar chúl na hEaragaile, rinne Bríd cinneadh. Bheadh sí ag fanacht i dTigh Ghrianna a fhad agus a bheadh sí sa bhaile. Ní raibh dóigh ar bith go mbeadh sí ábalta cur suas leis an mhéid a bhí ag gabháil ar aghaidh sa bhaile agus díriú isteach ar an scéal. Ní bhogfadh Fionn i ngan fhios do Nóra. Íobairt a bheadh ann gan dabht ach ní raibh Fionn á hiarraidh, bheadh sé i gceart le Nóra agus seans gurbh fhearr suaimhneas a thabhairt dó i láthair na huaire agus gan cur isteach air.

Stop sí taobh amuigh den óstán agus isteach léi. Bhí aithne aici ar na freastalaithe agus bhí a fhios aici go mbeadh siad ag cur iontais go raibh sí ag fanacht san óstán a fhad agus a bhí sí sa bhaile.

'Faighim costais ón nuachtán, tá sé chomh maith agam iad a úsáid,' a dúirt sí go héadrom agus í ag síniú a hainm ar an fhoirm.

Agus í ag imeacht amach as an óstán tháinig cara mór léi ina rith aniar.

'Bhuel an bhfeiceann tú seo, bean mhór na cathrach agus trí chloch caillte aici,' a dúirt Caitríona.

'Bhuel tá mé ar na drugaí úra seo a sceitheann na clocha duit,' a dúirt Bríd go searbh agus í ag gáire.

'Scéal nua ar bith leat, a Chaitríona?' a dúirt Bríd.

'Cad é mar atá Fionn?' a dúirt Caitríona agus an buaireamh le feiceáil uirthi.

'Bhuel ní maith ceist ar bith a chur ormsa. Níl am ar bith aige domsa ar an aimsir seo,' a dúirt Bríd.

'Cad é faoi Éamonn? Nach bhfuil sé ábalta labhairt le hÉamonn?' a dúirt Caitríona.

Chuir an ráiteas seo iontas an domhain ar Bhríd.

'Ba dheacair dó é agus Éamonn sa phríosún agus fiú ansin níl a fhios ag Fionn cé leis é. A Chaitríona, an measann tú gur sin atá contráilte leis? Do bharúil 'bhfuil sé thar am agam an scéal uilig a insint dó?' a dúirt Bríd.

Bhí Caitríona ina seasamh agus í gan focal. Bhí sí ag amharc ar Bhríd ar dhóigh iontach.

'Bhuel cad é do bharúil? Is tú duine de na daoine a bhfuil eolas acu ar an scéal uilig?' a dúirt Bríd arís.

Thosaigh Caitríona ag caint ach bhí a fhios ag Bríd nach raibh sí ag insint iomlán an scéil.

'Níl a fhios agam. Tá sé chomh fada ó bhí tú i dteagmháil, a Bhríd. Tá rudaí cineál thuas san aer agam féin i láthair na huaire. Cuir scairt orm agus rachaidh muid amach faoi choinne deoch oíche éigin. Beidh muid ábalta labhairt mar is ceart ansin,' agus leis sin bhí Caitríona imithe.

Ag gabháil amach an doras di bhí Bríd ag smaointiú go raibh uirthi castáil le Caitríona agus comhrá ceart a bheith aici. Sheasaigh sí siar agus d'amharc trasna an locha. Bhí an áit seo ar cheann de na háiteanna ba dheise ar dhroim an domhain.

Chonaic sí fear oibre ag tarraingt aníos i seancharr. Bhí an ghrian ina cuid súl ach bhí sí cinnte go raibh aithne aici ar an scáil dhubh sin. Bhuail fonn millteanach í imeacht.

Thug sí aghaidh ar an bhaile. Ag tiontú suas an cosán chonaic Bríd teach beag bán agus mhothaigh sí compordach.

D'amharc sí ar an chliabhán móna ina shuí ar imeall an dorais agus Toby, an madra, ina chodladh ar leac an dorais.

Isteach léi. Bhí an teach athraithe. Bhí sé imithe chun olcais. Shiúil sí thar dhoras na cistine agus d'amharc sí síos an halla. Bhí dréimire ag gabháil suas go dtí an t-áiléar. Ní raibh le feiceáil san áiléar ach dorchadas. Poll dubh, dorcha, ocrach, uaigneach ag ceann an tí. D'fhág an radharc míshuaimhneach í.

Bhí an troscán ag titim as a chéile agus d'aithnigh Bríd nach raibh an teach chomh glan agus a bhíodh sé sular imigh sí. Seans go bhfuil gloiní úra de dhíth ar Nóra a smaointigh sí.

Bhí boladh iontach deas sa teach, cibé ar bith scéal é agus d'aithnigh Bríd go raibh coinnle i ngach coirnéal den tigh.

'Ó tá tú ag amharc ar na coinnle, is é Fionn atá á gceannach domsa,' a dúirt Nóra agus chuir síos an tae.

'Tá sé ina chónaí thuas ansin anois,' a dúirt

Nóra ag amharc i dtreo na síleála, 'ní bhíonn dúil aige duine ar bith a dhul suas. Go ndéana Dia trócaire ar an té a mbeadh an t-uchtach aige ladhar a leagan ar an dréimire sin, ach mo thuairim go díreach go bhfuil sé ag an aois sin,' a dúirt Nóra.

Chuir sí amach an tae agus í go fóill ag caint.

'Tá do sheomra réidh agam duit.'

Mhothaigh Bríd téacs ag teacht tríd ar an fhón. Uimhir a bhí ann nach raibh aithne ar bith aici air.

Léigh sí é.

'De thairbhe gur cheannaigh tusa an caife. Deoch anocht i nGaoth Dobhair. Abair a hocht i dTigh Ghrianna?'

Las croí Bhríd le lúcháir.

Scríobh sí ar ais go cinnte gasta.

'Cinnte.'

Bhí Nóra go fóill ag caint. Ní raibh Bríd ag éisteacht.

'Cá háit a bhfuil do chuid málaí, a leanbh? Tabhair isteach iad. Mo thuairim go bhfuil lear éadach úr agat. Is maith liom do chuid éadaí úra. Bíonn tusa go maith á bpiocadh. Gabh agus faigh do chuid málaí, tá an chuma air go bhfuil an bháisteach ag teacht,' a dúirt Nóra.

Bhí rún ag Nóra braon uisce beatha a bheith aici lena hiníon anocht. Bhí briseadh de dhíth uirthi. Bheadh Fionn suaimhneach anocht, chonacthas di.

D'amharc Bríd ar an chlog a bhí ina sheasamh os cionn áit na tine lena cuimhne. Bhí sé a leathuair tar éis a seacht.

'Caithfidh mé imeacht. Beidh mise ag fanacht i dTigh Ghrianna a fhad agus atá mé sa bhaile le dhul i mbun mo chuid oibre. Ní miste leat, an miste?'

Leis sin bhí Bríd imithe agus thit ciúnas ar an teach.

Chuir Nóra móin ar an tine, tharraing sí siar an citeal a bhí ag cur amach a thóin ar an tsorn agus choimhéad sí carr a hiníne ag tiomáint ón bhaile. Bhí sí gortaithe an uair seo.

4

Bhí an ghealach ar snámh go héadrom i neadacha niamhracha de néalta boga bána thar scáil chlochach chrua na hEaragaile nuair a tharraing sí a carr isteach ar shráid an óstáin.

Thóg sí léi a cuid bagáiste amach as tóin an chairr agus rith isteach san óstán agus chuaigh caol díreach go dtí a seomra.

Bheadh uirthi ríomhphost faoin chás cúirte a sheoladh chuig Bean Uí Shúilleabháin.

D'fhág sí síos an ríomhaire ar sheantábla adhmaid agus d'amharc sí timpeall an tseomra. Chuir sé iontas uirthi, an oiread agus a d'amharc an iMac as áit sa tseomra seanaimseartha seo.

Bhí boladh sa tseomra a chuir teach a seanmhuintire i gcuimhne di agus le teann diabhlaíochta d'oscail sí prios agus chonaic sí an ciorcal beag gorm a bhíodh sna priosanna ag a seanmháthair.

Thóg sí amach é agus chuimhnigh sí ar shuí ar ghlúin a seanathar ag éisteacht leis an tseanchiteal ag feadaíl ar an tine oscailte agus iad ag ithe aráin agus suibhe.

Chuaigh sí anonn chuig an tábla agus sheol sí an ríomhphost agus ag deireadh chum sí bréag bheag á rá go raibh sí ag gabháil go dtí an teach tábhairne an oíche sin le tuilleadh taighde a dhéanamh.

Bhí ort i dtólamh a bheith ag obair sa jab seo. Ní raibh cead am saor a bheith agat agus tú as baile ag obair ar scéal. Bhí barraíocht de chostas leis an togra.

D'éirigh sí agus shiúil i dtreo na teilifíse bige a bhí ina suí ag taobh an scátháin nuair a thit a súil ar rós beag dearg amháin le nóta ceangailte de ar imeall an bhoird.

Thóg sí an nóta agus léigh é. 'FÁILTE ABHAILE, A STÓR,' a dúirt sé.

Shuigh sí síos agus rinne sí iarracht smaointiú ar cé a d'fhéadfadh an rós a chur.

Ní bheadh a fhios ag an chigire go raibh sí ag

fanacht anseo ach ag an am chéanna bhí a fhios aige go raibh sí i nGaoth Dobhair. Seans beag gurb é a bhí ann.

Ní fhéadfá an scríobh a aithint. Is é ceannlitreacha uilig a úsáideadh. Seans nár chuala an té a chum an nóta ariamh iomrá ar straoiseoga, a dúirt Bríd léi féin. Is ionann litreacha móra agus a bheith ag scairteadh i saol seo na nua-theicneolaíochta.

Tharraing sí amach culaith dheas ildaite as a mála. Chosain an chulaith seo €500 ach b'fhiú é. Diane von Furstenburg a dhear í.

Ag cur an chulaith uirthi, smaointigh sí gur seans gurbh í Chaitríona a chuir an bláth.

Rith an smaointiú léi nach raibh sí féin maith mar chara. Bhí Caitríona scartha óna fear agus bhí ceathrar páistí á dtógáil aici agus bhí sí go fóill toilteanach am a chur ar leataobh le dul amach le Bríd. Bheadh uirthi casadh léi oíche éigin gan dabht.

D'amharc sí sa scáthán agus nuair a bhí sí sásta gur amharc sí go maith d'fhág sí ag caitheamh súile ar an leaba, ag smaointiú go raibh sí ag súil go mór le léim isteach ann agus codladh, ag déanamh cocúin di féin sna blaincéid.

Bhí an teach tábhairne lán go béal agus daoine ina suí anseo agus ansiúd nuair a shroich sí an beár.

Bhí an cigire ina shuí ag an bheár agus a chúl léi. Bhí sé cóirithe i jíons agus bhí geansaí gorm caite thar a léine gheal aige. Cé go raibh sí neirbhíseach, rith smaointiú le Bríd a chuir ag gáire í – bhí sé cosúil le duine de na fir seo a bheadh le feiceáil sa *Family Album* ar bhreá le Nóra é a fháil sa phost.

Chonaic sí íomhá ina ceann d'fhear agus bean óg ag caitheamh an éadaigh leis na dathanna céanna orthu, le dath na gréine orthu, a gcuid fiacla móra bána ag amharc amach as leathanach lonrach uirthi.

Bhí fuath ag Bríd, ar an mhórchuid, ar dhaoine nach raibh ábalta a bheith cruthaitheach leis an tsaol. Ní raibh sé crua na caoirigh a aithint agus anois nuair a bhí éadaí na mór-réaltaí á n-athchruthú go saor sna siopaí bhí fáil ag achan duine orthu agus bhí an saol ag snámh le tomhaltachas. *consumption*

Sin ceann de na cúiseanna ar thit sí i ngrá le hÉamonn lá den tsaol.

Níorbh ionann é agus daoine eile. Bhíodh éadach s'aige caite le chéile ach shuigh siad go maith air. De thairbhe a éagsúlachta sheasadh sé amach mar a bheadh píosa guail ann ar thrá bhán.

Bhí a chroí sa cheol, Leonard Cohen, Dylan, Waits, sa tsnagcheol agus in achan réimse ceoil a bhí curtha i gceann a chéile go maith.

Bhí sé éagsúil ach bhí sé marfach chomh maith.

Chuir Bríd an smaointiú uaithi agus shuigh os comhair an chigire. Bhí sé ag ól fíon dearg. Bhí gloiní deasa á n-úsáid ag fir an bheáir agus ainm an tí buailte ar an taobh amuigh acu.

'Ar mhaith leat deoch?' ar sé, ag tógáil amach suíochán di.

'Pionta leann dubh, le do thoil,' ar sí.

Thóg an cigire a dhá mhala in airde ag cur i gcuimhne do Bhríd an dochtúir samhnasach ar chas sí leis ar maidin.

Rinne sí a dhá mhala féin a thógáil ar ais leis agus thosaigh sé ag gáire.

D'amharc sí ar an phionta deas leann dubh a doirteadh amach di. An t-uachtar ina shuí go trom ar barr agus an t-uachtar ag sileadh síos le taobh an ghloine agus ag damhsa taobh istigh de phríosún an ghloine. Smaointigh Bríd go raibh sé cosúil leis na ribíní néalta a bhí crochta thart ar an ghealach taobh amuigh sa spéir dhubh.

Thóg sí é agus shlog siar bolgam maith de. Chuir sí dúil sa leann dubh ar an choláiste.

'Tuigim gur seo do bhaile. Cad chuige ar fhág tú é,' a dúirt an cigire.

D'inis sé di go raibh rún aige go ndéanfadh sí scéal dó.

Mhothaigh Bríd go raibh sé ag cur agallaimh uirthi ar dhóigh. Mhothaigh sí a lámh ag gabháil suas go dtí an lorg ag bun a súile arís.

'Bhuel, bhí sé mar aidhm agam i dtólamh oibriú sna mórnuachtáin,' a dúirt sí.

Bhí leathuair caite acu le chéile agus ní raibh

ann ach eisean ag cur ceisteanna dar le Bríd.

Leis sin chonaic sí an seanmhairnéalach, Seonaí, ina sheasamh ag an bheár agus uisce beatha á ól aige. Bhí an bád is mó sa taobh seo tíre ag Seonaí. Choimhéad sí Seonaí ag tarraingt amach rolla nótaí as a phóca agus é ag díol ar son dí. Bhí cuma air go raibh go leor sa ghrágán anocht aige. Ní go minic a bheadh airgead mar sin aige. Bhuail smaointiú í.

Bhí a fhios ag Bríd go gcaithfeadh gur tháinig an rollóg sin as áit éigin.

Bhí a chúl ag an chigire leis.

Chonaic Bríd Seonaí ag éirí ón stól agus ag déanamh iarrachta a bhealach a dhéanamh dul go dtí an leithreas.

Bhí dhá thaobh an urláir leis. Arís eile rith smaointiú le Bríd a chuir ag gáire í, shílfeá gur i mbád a bhí sé amuigh i lár na farraige fiáine agus é ag dul ó thaobh go taobh leis féin a choinneáil gan titim amach as an bhád agus isteach san fharraige.

Rinne sí a leithscéal agus dúirt leis an chigire

go raibh sí ag gabháil chun leithris. Sheasaigh sí taobh amuigh den leithreas. Chuir sí a fón ar ciúnas agus shiúil sí anonn agus anall ag coinneáil súil ar dhoras an leithris ar eagla go ndéanfadh Seonaí éalú uirthi.

Tháinig duine nó dhó i dtreo Bhríd a raibh aithne acu uirthi. Rinne sí aoibh an gháire leo agus rinne comhartha go raibh sí ar an fhón. D'imigh siad leo.

Thit Seonaí amach doras an leithris de rúid agus tháinig le stop tobann ar an bhalla díreach trasna.

Bhí sé ar tí dul a cheol, a chuid liopaí craptha in éadan a chéile aige agus a ucht lán anála, nuair a bhuail Bríd cniogóg bheag ar a ghualainn. D'amharc Seonaí uirthi go cúramach, thosaigh sé ag bonn a cos agus d'amharc i rith an bhealaigh suas gur tháinig sé, faoi scór go leith soicind, ar a haghaidh. Ag an phointe sin, rinne sé súil amháin a leathdhruid.

'Bríd? Bríd bheag Sheárlas Thomáis Eoghain?' a dúirt sé agus a dhá lámh ardaithe amach aige ar nós crúbóg a bheadh ag siúl faoi dheifre ar an trá.

'Sé cinnte. Sin é go díreach, a thaisce,' a dúirt Bríd.

'Bhuel damnú ach nár thiontaigh tú isteach i do ghirseach cheart. 'Bhfaca tú an t-uascán sin d'fhear atá agat le gairid? Deir siad go dtug sé drochbhail ort. Má fhaighimse greim air déanfaidh mé bia míoltóige de,' a dúirt sé ag tarraingt isteach a dhá lámh go hamscaí agus á gcuimilt.

Níor bhac Bríd le caint an fhir ólta.

'Ó, ná bí buartha faoi sin, a stór. Tá ciall cheannaithe agam anois. Inis seo dom. 'Bhfuil tú ag ceiliúradh rud éigin anocht?'

'Ag ceiliúradh? Tá agus níl. Ní dhearna mise lá ceiliúrtha ó fuair Nellie bhocht bás. An créatúr, bhí sí go maith dom. Ní raibh ann ach an bheirt againn féin. Sin ráite, tá spionn maith orm nó go dtáinig cúpla punt i mo bhealach. Tusa an bhean a mbeidh freagra na ceiste seo aici. Cad chuige a dtiocfadh strainséir chun tí agamsa agus sé chéad…'

Ag an phointe seo scaoil méar Sheonaí suas díreach san aer agus rinne sé titim chun tosaigh i dtreo Bhríd.

'Sé chéad punt a deirim leat, a chur isteach i mo bhos faoi choinne iasacht a fháil de mo sheanbhádsa oíche Déardaoin seo?'

Leis sin chuir Seonaí a mhéar suas go dtí a bhéal.

'Fuist, fuist…níl cead faic a rá…níl cead insint do dhuine beo…fuist…fuist.'

Thuig Bríd go raibh sí ag gabháil sa treo ceart.

'Sin é, ná habair faic le duine ar bith. Diabhal ach bhí siad maith duit. Ba dhaoine de bhunadh na háite a bhí ann? Nach maith agus go bhfuil airgead mar sin acu?' a dúirt Bríd go gasta.

Thit Seonaí siar cúpla coiscéim agus thosaigh ar ábhar eile ar fad.

'Tá a fhios agamsa tusa ó bhí tú chomh hard sin, chomh hard sin,' a dúirt sé agus a lámh ag gabháil suas níos airde ná é féin agus síos chomh fada agus a thabharfadh a lámh cead dó gan ligean dó dul i mullach a chinn.

Chonacthas do Bhríd nach raibh sí riamh chomh hard sin ach rith smaointiú léi. Smaointigh sí ar ainmneacha na bhfear áitiúil a bhí sa chúirt an mhaidin sin.

'An Dónall Mac Giolla Eoin a bhí ann nó Mánas Ó Fearraigh?' a d'fhiafraigh sí.

Chuir Seonaí a mhéar suas go taobh a ghaosáin agus bhuail é agus achan gháire aige.

'Bhuel nach ceart tusa! Níor dhúirt mise faic. Níor sceith mise an scéal. Tú féin a d'aimsigh é,' a dúirt sé agus achan gháire aige agus leathiarracht á déanamh aige dul a dhamhsa, ag síneadh a láimhe i dtreo an bhalla.

D'imigh sé leis ag fiach feadaíl a dhéanamh agus dhá thaobh an halla leis. D'amharc Bríd air agus rinne gáire. Rinne sí cinneadh dul ar ais chuig an chigire agus an oíche a chaitheamh faoi shócúl.

Bhí go leor daoine ag teacht chun cainte léi. De réir mar a bhí an oíche ag dul ar aghaidh bhí an t-ólachán ag gabháil díreach go ceann Bhríd. Bhí lá crua aici agus b'fhada ó bhí sí ag ól.

Ar a leathuair tar éis a haon déag chonaic sí Caitríona ag teacht isteach agus scairt sí uirthi. Chaith sí a dá lámh thart ar a muineál agus ghabh buíochas léi as ucht an róis.

'Cén rós?' a dúirt Caitríona agus í ag amharc ar an fhear bhreá a bhí ina shuí i dteannta a seanchara.

'An rós galánta a bhí i mo sheomra,' a dúirt Bríd agus iontas uirthi.

'Ní mise a chuir rós chugat. I ndáiríre, cá háit a bhfaighinn an t-am? An bhfuil tú cinnte nárbh é an fear seo a chuir chugat é?' a dúirt Caitríona.

Smaointigh Bríd ar a cuid múineadh.

'A Chaitríona, seo an Cigire Ó Baoighill,' a dúirt sí.

'Darren, a Chaitríona, is féidir leat Darren a thabhairt orm.'

Thiontaigh sé chuig Bríd.

'Bhuel, bhuel, bhuel tá mistéir againn anseo.'

Cé go raibh an chuma ar an chigire go raibh go leor ólta aige bhí an chuma air freisin nach mó ná sásta a bhí sé faoin bhláth.

Bhí Caitríona ina seasamh agus gan focal aisti. D'amharc sí i dtreo an dorais.

'An bhféadfainn labhairt leat go príobháideach, a Bhríd?' a dúirt sí.

Faoin am seo bhí Bríd ag éirí ólta. D'iarr sí ar Chaitríona stól a tharraingt isteach agus oíche a bheith aici faoi phléisiúr. Gheall sí go mbeadh oíche éigin eile acu. Ní raibh Bríd ag iarraidh an cigire a fhágáil ach an oiread. Bhí suim aici ann.

Chaith siad an oíche i dteannta a chéile. D'fhág Caitríona i ndiaidh deoch amháin. Bhí a fhios ag Bríd go raibh rud éigin ag cur isteach uirthi ach nach raibh rud éigin ag cur isteach ar achan duine?

Bhí briseadh de dhíth uirthi. Shílfeá go dtuigfeadh Caitríona an méid sin.

Tháinig am luí an domhain ann agus thosaigh achan duine ag imeacht ón bheár. D'fhág sí féin agus an cigire an beár.

Le bánú na maidine, mhúscail an fón Bríd. Ba í Nóra a bhí ann.

'Tar abhaile, a stór. Tharlaigh rud éigin iontach aréir. Déan deifre. Tar abhaile. Tá do chomhairle de dhíth orm,' agus leis sin d'imigh sí.

Tharraing Bríd uirthi seanphéire bristí agus rith chuig an charr.

Bhí cloigeann nimhneach uirthi agus bhí grian bhinbeach na maidine ag stróiceadh na súl aisti. Bhí sí sásta go raibh sí léi féin.

Ó thaobh a súile chonaic sí fear ina sheasamh siar ag caitheamh tobac agus á coimhéad. Bhí a fhios aici an fear sin. Bhí ceo ina hintinn de bhrí dheoch na hoíche aréir agus ní dhearna sí mórán smaointiú.

Bhuail sí uirthi péire spéaclaí gréine a bhí i dtólamh faoin charr aici agus rinne a bealach abhaile.

A fhad agus a bhí sí ag tiomáint suas an cabhsa chonaic sí go raibh fuinneog bhriste ar an tseomra bheag. Bhí an ghrian ag bualadh gloine a bhí ina luí ar an talamh taobh amuigh de.

Nuair a d'oscail sí an doras bhí Nóra ag siúl anonn agus anall agus í iontach buartha.

'Bhris duine éigin isteach anseo aréir. D'ól mise leathcheann nó dhó le mé a chur a chodladh agus níor mhothaigh mé faic. Bhí an fear óg thuas an staighre agus níor bhog sé i rith na hoíche. Chuir mé na doirse faoi ghlas agus chuaigh mé a luí. Nuair a mhúscail mé ar maidin, mhothaigh mé na doirse ag druid agus ag oscailt sa halla agus bhí a fhios agam go raibh séideán gaoithe ag teacht as treo éigin. D'oscail mé doras an tseomra bhig agus bhí romham. Níor chuir mé glaoch ar na Gardaí go fóill. Tá eagla orm má thig siad go mbeidh siad ag iarraidh dul suas an staighre sin go bhfeicfidh siad go bhfuil gach rud i gceart agus níl mé ag iarraidh brú mar sin a chur ar Fhionn,' a dúirt Nóra sular shuigh sí síos.

Bhí suaimhneas ann ar feadh tamaill sular dhúirt Bríd le Nóra scairt a chur ar Fhionn.

Rinne Nóra scairt a chur ar Fhionn agus tháinig sé anuas agus isteach sa chistin. Chonaic sé Bríd agus sheasaigh sé lena dhá shúil ag amharc i dtreo an urláir agus a dhá lámh trasna ar a chéile.

'Ó go ndéana Dia Uilechumhachtach muid a chosaint ó gach namhaid sa tsaol seo. A Fhinn, bhris duine éigin isteach anseo aréir,' a dúirt Nóra.

Shiúil Nóra síos an halla agus tháinig aníos le rud éigin a thóg sí amach ó urlár an tseomra bhig.

'Ghoid siad an ceann de Padre Pio. Mór an trua nár fhág mé Eoin Baiste ansin, d'fhóirfeadh sin i gceart dó,' a dúirt Nóra agus í ag caint léi féin.

Shuigh Bríd chun tosaigh ag amharc ar aghaidh Fhinn. Ní raibh athrú ar bith ann. Níor dhúirt sé faic.

'Cuir faoi choinne na nGardaí,' a dúirt Bríd arís ag coimhéad aghaidh Fhinn.

Léim Fionn agus d'amharc i dtreo a mháthar go drochmhúinte.

'Ná cuir nó imeoidh mise agus fágfaidh mé thú. Cad é an gnaithe atá ag na Gardaí sin istigh anseo? Ar tógadh faic? Chuirfinn geall nár tógadh.' D'amharc sé ar Nóra.

Ghéill Nóra go cinnte gasta d'Fhionn agus í buartha go mbeadh Bríd ag imirt leis ar an dóigh seo. Bhí a hiníon ag gabháil as aithne, chonacthas di. Ní raibh truacántacht ar bith sa bhean, níor mhiste cad é a tharlaigh di.

D'éirigh Bríd agus chuir sí a cuid spéaclaí gréine ar a ceann. Shiúil sí go dtí an fhuinneog tosaigh agus d'amharc sí amach. Chonaic sí an gloine ar an talamh lasmuigh den tseomra bheag.

''Bhfuil tú cinnte, a mháthair, gur duine éigin a bhris isteach agus nár dhuine éigin a bhí ag iarraidh briseadh amach? Tá an gloine ar an taobh amuigh den fhuinneog, rud a thugann le fios gur fórsa ón taobh istigh a bhrúigh amach an gloine,' a dúirt sí, ag amharc ar Fhionn.

'Cad é cineál rámhaillí atá ort, a Bhríd? Cé a bheadh ag éirí amach?' Leis sin d'amharc Nóra ar Fhionn.

Tharraing sé pláta a bhí ina shuí ar an bhord agus bhris sé i lár an tí é.

'Cad é atá ionat anois? Jessica Fletcher? Nach maith agus go bhfuil tú imithe. Tá fuath agam ort. An gcluineann tú mé? Fuath. Níorbh fhiú leat fiú insint dom cé mo athair nó cá háit a raibh sé. Bhuail tú isteach sa phríosún é, gan chúis,' agus rith sé amach an doras agus d'imigh leis síos an cabhsa ar cosa in airde.

Baineadh geit as an mbeirt sa chistin.

Rinne Nóra tae agus faoi dheireadh nuair a labhair sí bhí sí fuar agus borb.

'Tá sé thar am agat an fhírinne a insint don leaid óg sin. Nach bhfuil a fhios agat go bhfuil na ceithre bhaile ag caint leis faoi dtaobh de agus glac uaimse ní bheidh na scéalta a chluineann sé ar mhaithe leatsa. Níl de dhíobháil ar mhuintir an bhaile seo ach an scian a chasadh i do dhroim, go speisialta agus tú i ndiaidh jab maith a fháil faoi Bhaile Átha Cliath. An gcluineann tú mé?' a dúirt sí, ag bualadh cupán tae faoi smigead Bhríd.

Stróic Nóra léi.

'Tá a fhios agam gur fhulaing tú do sháith. Tuigim sin. Níl neart ag Fionn air sin. Anois tá tú thuas ansin ag obair ó dhubh go dubh agus níorbh fiú leat oiread agus téacs a sheoladh chuige. Tuigimse an brú a bhfuil tú faoi ach ní thuigeann Fionn. Ar smaointigh tú ariamh air sin? Tá an créatúr caillte, a athair sa phríosún, tusa i mBaile Átha Cliath agus é buailte le seanbhean cosúil liomsa. Níl iontas ar bith go bhfuil sé thuas san áiléar sin,' a dúirt Nóra.

Faoin am a thiontaigh Nóra thart bhí Bríd i lár an halla agus cos aici ar an dréimire.

Mhothaigh Bríd boladh trom ag éalú amach as an pholl dhubh síos agus isteach sa halla. Níor mhothaigh sí an boladh ariamh roimhe agus bhí trup de shaghas íseal ag gabháil ann.

Go tobann mhothaigh sí a máthair ag béiceadh.

'Gabh anuas as sin. A Mhaighdean Mhuire agus a Athair Síoraí agus na Naoimh uilig – sin baile beag Fhinn. Caithfear príobháideacht a thabhairt dó. A Dhia, caithfidh tú spás a thabhairt dó lena chuid rudaí féin a bheith aige. Tagann tú aníos anseo as Baile Átha Cliath agus in ionad aithne a fháil ar an fhear óg tá tú ag gabháil caol díreach isteach ina ghnaithe. Gabh aníos as sin,' a dúirt Nóra agus í ag éirí tógtha.

Chonacthas do Bhríd go raibh Nóra níos cantalaí ná mar ba ghnáth léi a bheith. Thiontaigh sí thart agus chonaic sí go raibh lámh Nóra ar crith leis an fhearg a bhí uirthi.

Sheasaigh Bríd siar.

''Bhfuil tú ag glacadh cógas don chroí?' ar sí.

D'éirigh Nóra ina suí agus an fhearg le feiceáil inti go fóill.

''Bhfuil tusa ag déanamh go bhfuil táibléid ar bith istigh sa teach seo taobh amuigh de phiollairí vitimíní? Tá achan scian ghéar, achan rópa sa bhóthar i bhfolach agam. 'Bhfuil tú ag smaointiú ar chor ar bith?' Thosaigh Nóra ag caoineadh.

Bhí trua ag Bríd do Nóra ach chonacthas di go raibh a máthair róbhog le Fionn. Bhí duine éigin de dhíobháil ar Fhionn a thabharfadh stiúir mhaith dó.

Shiúil sí anonn chuig an fhuinneog agus thóg pictiúr d'Fhionn agus a chara, Hiúdaí Óg. Bhí siad ina seasamh taobh amuigh de theach Hiúdaí sa gheimhreadh. Bhí an sneachta ina luí ar achan aird.

Chuir sé iontas ar Bhríd nach raibh ach leath de dhíon an tí faoi shneachta. Bhí sí ag smaointiú faoi seo nuair a tháinig téacs ar a fón.

'Fan glan as gnaithe do mhic nó is tú a bheas buartha.'

Baineadh stangadh as Bríd. Bhí an scéal seo ag dul chun olcais, bhí a máthair ar tí briseadh síos, bhí a mac ag gabháil ar mire agus anois bhí duine nach raibh aithne aici air ag bagairt uirthi.

Cad é faoi Dhia a bhí ar siúl?

5

Ba é scairt na bhfaoileán a mhúscail Bríd an chéad mhaidin eile. Níor chodlaigh sí rómhaith i rith na hoíche le smaointe ina rith trína hintinn. D'oscail sí an cuirtín agus d'amharc sí ar an ghairdín taobh amuigh den tseomra.

Bhí na bláthanna ag damhsa, ag croitheadh a gceann léi sa tséideán bheag éadrom gaoithe a bhí ag imirt faoin ghrian. D'amharc sí ar na crainn a bhí trom le duilleoga glasa, an spéir a bhí lán de néalta beaga geala ag titim anonn agus anall i mblaincéad na spéire agus bhí gach gné, gach díog, gach coirnéal de na sléibhte le feiceáil ó fhuinneog an óstáin.

Bhí loirg an nádúir chomh soiléir gur mhothaigh Bríd pian ina hucht leis an áilleacht. Nach mór an trua nach mbeadh nádúr an duine chomh soiléir le feiceáil a smaointigh Bríd ag seasamh siar ón fhuinneog.

Smaointigh sí ar an diabhal téacs agus focla

Nóra agus smaointigh sí go raibh chomh maith aici imeacht, éalú ar ais go Baile Átha Cliath.

Bhí Nóra deas agus cineálta ach bhí a fhios ag Dia agus duine fanacht amach as an chosán aici nuair a bhí sí tógtha. Bean den tseandéanamh a bhí inti agus níor mhaolaigh aois a teanga, más rud ar bith chuir sé faobhar léi.

Sin ráite, thuig Bríd go raibh ciall lena cuid cainte agus cáinte. Sin an rud ba mheasa, bhí an fhírinne searbh agus deacair a dhíleá.

Shocraigh Bríd luí isteach ar an obair agus dul go teach a máthar an oíche sin. Dhéanfadh sí iarracht níos fearr le Fionn. Sin a bhí Nóra ag iarraidh agus bhí a fhios aici gurbh fhearr di é a dhéanamh.

Thóg sí amach an seanleabhar teagmhálacha a bhí aici nuair a d'oibrigh sí sa *Gazette*. Bhí a fhios aici go mbeadh uirthi a bheith ríchúramach. Chuir sí scairt ar chomhairleoir áitiúil a raibh aithne rímhaith aici air. Bhí a fhios aici rud nó dhó faoi féin agus mar sin bhí tuiscint de chineál eatarthu.

'Cad é mar atá tú ar maidin, a Sheáin,' a dúirt sí leis.

'Bhuel, tá tú ceart faoi rud amháin, an mhaidin atá ann. Níl sé ach ag tarraingt ar a hocht. Comhghairdeachas leat ar do phost úr. Bhí a fhios agam i dtólamh go raibh tú tiomanta. Coinnigh leat. Cad é a thig liomsa a dhéanamh duit?' ar sé.

D'iarr Bríd air teacht agus bualadh léi don lón san óstán agus ghlac sé an cuireadh go réidh. Bhí a fhios ag Bríd go mbeadh sé ag smaointiú ar na ceannlínte náisiúnta agus an toghchán ar na bacáin agus rinne sí gáire beag léi féin.

Chuir Bríd ríomhphost chuig Bean Uí Shúilleabháin. Ní raibh focal ar bith uaithi. Thuig Bríd go raibh Bean Uí Shúilleabháin sásta ligean di stróiceadh léi, uaireanta.

Chuir sí uirthi éadach spóirt agus chuaigh síos chuig an bhricfeasta. D'ith sí babhla beag bracháin le torthaí agus mil. D'ól sí siar gloine sú oráiste. D'fhág sí an t-óstán agus thiomáin i dtreo na trá. Bhí rún aici rith ar feadh cúpla míle roimh am lóin. Bhí uirthi a hintinn a láidriú agus dhéanfadh sí sin.

Chuir sí isteach a cuid cluasán agus thosaigh

ina rith trasna na trá. Mhothaigh sí boladh glan na trá – sáile agus salann. Chonaic sí scáth na bhfaoileán ag eitilt thart tríd an spéir ar an ghaineamh bhuí. Bhí cúl a cuid cos nimhneach ón rith sa ghaineamh nó gur chinn sí rith ar an ghaineamh nach raibh fliuch bog ag béal na farraige.

Ina ionad sin bhí sí ag rith ar an ghaineamh a bhí crua agus tirim, aníos ón fharraige. Bhí sé níos deacra rith ann ach d'fháiltigh sí roimh an dúshlán. *accepted the challenge*

Rith sé léi go raibh breithlá Fhinn ag teacht. Bheadh sé ocht mbliana déag. Shocraigh sí iPhone a cheannach dó. Ní raibh Fionn ar na gasúir ba theicniúla ar dhroim an domhain ach dhéanfadh sise seo a úsáid chun a leasa féin. Seans nach ligfeadh Nóra suas san áiléar sin í *to the end of teaps* go deo na ndeor ach gheobhadh sí isteach i gcloigeann Fhinn ar dhóigh amháin nó ar dhóigh eile.

Rith a hanáil léi. Shuigh sí síos ar chreig agus ghlan sí an t-allas óna haghaidh le cúl a boise.

Chonaic sí bád Sheonaí ceangailte leis an ché

agus thuig sí go raibh sé in am di imeacht. Chuir sí an nuacht ar siúl agus í ag tiomáint go dtí an t-óstán. Bhí uirthi a bheith dírithe ar cad é a bhí ag tarlú sa nuacht i rith an ama. Ní hionann an jab seo agus jabanna eile. Bhí an brú ag éirí níos troime leis ó tháinig rogha úr na meán sóisialta.

D'athraigh sí isteach i gculaith éadrom samhraidh agus bróga órga oscailte san óstán agus thóg tábla amuigh faoin spéir. Faoin am a tháinig an comhairleoir bhí na biachláir ag Bríd agus crúiscín uisce.

Shuigh sé síos agus thosaigh sé ag caint faoin aimsir. D'éist Bríd leis gur rith sé amach as gaoth agus dhírigh isteach ar an scéal a bhí idir lámha aici.

''Bhfuil fadhb drugaí sa cheantar seo?' ar sí, ag tógáil a cuid spéaclaí gréine suas thar a ceann agus ag amharc air.

''Bhfuil tú ag déanamh scéil air seo?'

Dhírigh an comhairleoir é féin suas agus lean sé leis.

'A Bhríd, níor chóir go mbeadh ormsa insint

duitse go bhfuil an fhadhb chéanna ar fud na tíre móire. Dhéanfá dochar millteanach do thionscal na turasóireachta anseo má thosaíonn tú ar an tseafóid seo…' (politics)

Chuir Bríd suas a lámh agus stop sí é.

'Ní sin an cineál scéil, go díreach, a bhfuil mé ag tabhairt faoi. Tuigim cás na ndrugaí. Níl mé ach ag úsáid an cheantair seo mar chineál sampla, saghas cás-staidéir. Ní bheidh mé ag cur d'ainm leis agus nuair atá an scéal scríofa agamsa is cinnte gur dearcadh náisiúnta a bheas leis. Ag lorg eolais atá mé. Geallaim sin duit,' a dúirt sí.

Choimhéad sí an dóigh ar shuigh an comhairleoir siar. Bhí sé ag déanamh a mhachnaimh.

Go minic bheadh eagla orthu seo a bhain slí bheatha as póca na ndaoine roimh scéal a raibh dochar ann. Dhéanfadh siad dearmad faoin dochar agus thabharfadh siad neamhaird ar an scéal de bharr go mbeadh eagla orthu go ndéanfadh sé dochar dóibh féin ó thaobh na vótaí de.

Bhí go leor rún sa cheantar seo a bhí curtha as béal na meán dá mbarr.

'Tuigim. Níos mó ná sin glacaim le d'fhocal, a Bhríd. Níor lig tú síos ariamh mé. I dtaca le ceist na ndrugaí, bhuel, glacaim leis gur mhothaigh tú gur chaill duine de chuid mórchairde Fhinn a bheatha le drugaí cúpla mí ó shin?' a dúirt sé.

Chuir an t-eolas seo iontas ar Bhríd ach ní dhearna sí faic ach na spéaclaí gréine a chur uirthi arís.

'Tuigim,' a dúirt sí. 'An mbeadh athair an leaid sásta labhairt liom?' a d'fhiafraigh sí.

Dúirt an comhairleoir go raibh agallamh déanta ag an athair ar Raidió na Gaeltachta cheana féin.

'An bhfuil cuimhne agat cén dáta a rinneadh an t-agallamh seo? Déanfaidh mé teacht air i bpodchraoladh,' ar sí.

Dheimhnigh an comhairleoir na dátaí di. Chaith siad leathuair ag caint le chéile agus d'fhág an comhairleoir slán aici i ndiaidh dó lón a ithe. Níor ith Bríd faic. Bheadh dinnéar an tráthnóna sin aici le Nóra agus Fionn.

Chuir sí téacs chucu beirt faoi dhinnéar. Nuair a bhí sí ag éirí le himeacht chonaic sí fear ard ag siúl ina treo. Bhí an ghrian ina cuid súl ach nuair a shuigh sé síos d'aithnigh sí gurb é an cigire a bhí ann.

'Bhuel, a chigire,' ar sí agus ag amharc síos ar a chuid éadaí, 'an ag iascaireacht a bhí tú?'

Thosaigh an cigire ag gáire agus d'aithnigh Bríd na fiacla bána a bhí aige agus an dath deas donn a bhí ag bláthú ar a chraiceann. Bhí siad ag cur téacsanna ag a chéile go rialta anois. Bhí sé ráite aige go raibh ardmheas aige uirthi.

'Bhí mé ag tiomáint aníos ansin níos luaithe agus chonaic mé tú féin agus fear éigin ag baint sult as greim agus chonacthas dom féin go mbeadh orm a theacht isteach agus cuairt a thabhairt ar an spéirbhean seo,' a dúirt sé os ard.

Chaith an bheirt tamall ag caint agus chonacthas do Bhríd go raibh sí iontach tógtha leis. D'aithnigh sí go raibh cúpla gloine fíona ag an cigire cé go raibh sé ag tiomáint agus chuir seo iontas uirthi.

I ndiaidh dóibh tamall a chaitheamh sa ghrian chuaigh an bheirt isteach. Bhí ócáid do pháistí ar siúl san óstán agus le suaimhneas a bheith acu, mhol Bríd deoch a bheith acu sa tseomra.

I ndiaidh dóibh cúpla uair a chaitheamh i dteannta a chéile, d'imigh an cigire agus chuaigh Bríd i mbun oibre. Ní raibh sí ag iarraidh smaointiú ar an chaidreamh a bhí anois ag bláthú idir í féin agus an cigire agus chuir sí go cúl a hintinne é.

D'éist sí siar leis an agallamh ar an raidió agus ghlac nótaí. Chuir sí scairt ar an iriseoir a rinne an t-agallamh agus fuair uimhir Hiúdaí Uí Fhearraigh uaidh. Bhí sí buartha gur chaill sé a mhac Hiúdaí Óg leis na drugaí damanta sin.

Sular fhág sí faoi choinne dinnéir cheannaigh sí iPhone 6 thar an idirlíon. Chuir sí a hainm féin leis an chonradh sa dóigh agus go mbeadh stiúir cheart aici ar an pháipéarachas a bhain leis an fhón.

Rinne sí coinne le Hiúdaí don oíche sin ar a hocht agus shuigh sí siar sa leaba. Chaith sí tamall ag gabháil trí na nuachtáin áitiúla ar an idirlíon. Chuir sé iontas uirthi a mhéad a bhí fadhb na ndrugaí ag eascairt sa cheantar agus is beag a bhí daoine a rá faoi.

Shocraigh sí go ndéanfadh sí an taighde a bhí curtha i gceann a chéile aici a sheoladh chuig cara léi a bhí ag obair go háitiúil i ndiaidh di féin críoch a chur leis an scéal.

D'imigh sí amach faoi choinne siúlóide agus bhailigh sí dornán bláthanna do Nóra. Rinne Bríd gáire beag léi féin nuair a smaointigh sí gur seo an dóigh a ndéanfadh sí suas lena máthair nuair a bhí sí ina cailín óg i ndiaidh di fearg a chur uirthi.

Chuir an tsiúlóid spionn ar dóigh ar Bhríd, d'éist sí le ceol na n-éan, na páistí ag gáire agus iad ag imirt agus bhí cumhracht na mbláthanna san aer.

Thiomáin sí siar chun tí agus culaith dheas uirthi. Bhí a fhios aici go mbeadh a máthair sásta dá bhfeicfeadh sí go raibh Bríd ag déanamh iarracht le cuma dheas a chur uirthi féin. Nuair a tharraing sí isteach bhí an doras cúil ar oscailt agus Toby ina shuí go falsa ag baint sult as an aimsir mhaith.

Bhí Nóra istigh agus an dá lámh ag síorchuimilt a naprúin. Bhí a fhios ag Bríd nár mhaith lena máthair a bheith crua uirthi agus ghoill sé uirthi gur uirthi féin a bhí an locht. *fault*

Bhí Fionn ina sheasamh ag cur gloiní ar an tábla. Shiúil Bríd go dtí an prios agus thóg amach vása faoi choinne na mbláthanna. Ní raibh Fionn ag rá rud ar bith ach d'aithnigh Bríd go raibh trí áit suí socraithe don dinnéar agus bhí sí sásta.

'Cheannaigh mé na cloicheáin sin a bhfuil dúil *prawns* agat iontu. Tá dúil ag Fionn iontu fosta agus beidh mairteoil *Roast* dheas againn ansin. Rinne mé milseog dheas fosta daoibh,' a dúirt Nóra agus tionscal *started* beag cócaireachta ag gabháil sa choirnéal aici.

Cé go raibh na fuinneoga ar oscailt bhí boladh na feola trom sa chistin agus é á róstadh san oigheann. Bhí sé ag cur cíocras uirthi.

Bhí a fhios ag Bríd gur chreid Nóra go ndéanfadh béile maith achan rud a chur ina cheart, fiú na fadhbanna a bhí ag an teaghlach seo i láthair na huaire. *family*

Shuigh siad uilig thart ar an tábla agus thosaigh Nóra ag insint scéalta an lae do Bhríd agus d'Fhionn. Bhí duine de chlann Uí Dhúgáin marbh i Machaire Chlochair, bhí bó ag comharsa a fuarthas marbh sa díog thíos an cosán agus bhí neicrifilia ar Annie Shíle Phádraig ar an Aifreann, rud a bhí ag cur isteach go mór ar an Athair Mac Fhionnghaile.

Phléasc Fionn agus Bríd amach ag gáire.

'Narcailéipse,' a dúirt Bríd ag iarraidh gan titim den chathaoir.

Bhí na deora ina rith léi.

''Bhfuil Annie ag titim ina codladh ar an Aifreann?' a dúirt Bríd.

'Tá leoga,' a dúirt Nóra agus choinnigh ag ithe leadhb de mhairteoil, ag amharc amach fuinneog na cistine.

'Nár sin an rud a dúirt mé? Tá achan duine ar mire léi agus tá an sagart ag rá leo atá ina suí taobh léi í a mhúscailt nuair atá an tAifreann thart. Tá a chroí briste léi,' a dúirt Nóra, ag iarraidh tuiscint a fháil ar ábhar an gháire.

'Is fearr duit a rá le daoine go bhfuil sí ag titim ina codladh go díreach, sin muna bhfuil a leithéid ag tarlú ag tórramh,' a dúirt Bríd, ag amharc ar Fhionn agus í sásta go raibh aoibh an gháire air.

Ghlac sí an deis.

'Tá do bhreithlá ar na bacáin, a mhic. Ocht mbliana déag. Beidh tú i d'fhear déanta. 'Bhfuil tú ag iarraidh cóisir anseo? Sa teach seo? Nó ar mhaith leat go mbeadh ceann againn Tigh Ghrianna?'

D'fhreagair Fionn nach raibh cóisir ar bith de dhíobháil air. Bheadh sé amuigh le cairde an deireadh seachtaine sin agus seans nach mbeadh sé faoin tigh ar feadh cúpla lá.

Ní raibh Bríd sásta ligean dó gan baint ar bith a bheith aici leis an lá mór.

'Bhuel beidh orm do bhronntanas a thabhairt duit cibé ar bith. Cad é faoi thráthnóna Dé Céadaoin nó Déardaoin? Rachaidh mise agus Nóra amach faoi choinne béile leat,' a dúirt sí.

'Creidim go mbeadh an Chéadaoin sin ceart go leor. Ní bheidh mé ar fáil Déardaoin,' a d'fhreagair Fionn.

Bhí Fionn ag éirí iontach dóighiúil. Bhí dhá shúil a athar aige agus bhí sé ag ligean fás beag sa ghruaig.

Shuigh Nóra siar agus aoibh an gháire uirthi.

'Mo thuairim go mbeidh dinnéar agat féin agus do ghirseach oíche Déardaoin,' a dúirt sí, ag cuimilt a chinn.

Shuigh Fionn siar ón tábla.

'Níl girseach ar bith agam. Níl suim ar bith agam iontu. Tá mé ag déanamh rud éigin eile oíche Déardaoin. Tá mé lán anois. An dtig liom dul suas?' a dúirt Fionn, ag amharc i dtreo an áiléir.

Thug Nóra cead a chinn dó. Bhí Bríd ag smaointiú gur oíche Déardaoin a bhí an bád de dhíth ar na mangairí drugaí. Cinnte le Dia agus nach raibh baint ar bith ag Fionn leis an chineál rud sin. Bhí an phian ar ais ina bolg.

D'amharc sí ar Nóra agus d'aithnigh sí go raibh imní ar aghaidh a máthar.

'Cad é atá ag cur isteach ort, a mháthair?' a dúirt sí.

D'amharc Nóra síos an halla. D'éirigh sí agus dhruid sí doras na cistine.

Bhí imní ag teacht ar Bhríd go raibh drochscéal eile le teacht amach.

Shuigh Nóra trasna uaithi agus labhair go suaimhneach.

'Níl a fhios agam ar chóir dom faic a rá ach do bharúil, 'bhfuil sé an dóigh sin?' a dúirt sí agus rinne í féin a choisreacadh. *Blessed le mrsef*

Thóg Bríd a dhá mhala.

'Cad é an cineál dóigh?'

Thosaigh Nóra ag cur déanamh ar na bláthanna a bhí sa vása ar an tábla.

'A Dhia, ní miste liomsa má tá. Má tá is fearr é a bheith ráite amach in ionad é a bheith á chur féin faoin bhrú sin a d'fhág san otharlann é. Tá mac ag Nóra Phádraig Mhichíl agus bhí sé aerach agus 'bhfuil a fhios agat seo, tá sé ar cheann de na daoine is deise a bhféadfadh duine bualadh leis. É i dtólamh ag tabhairt Nóra go dtí an biongó agus ag siopadóireacht. Tá an teach mar a bheadh sé pingine aige ann,' a dúirt Nóra, ag amharc ar Bhríd.

Thosaigh Bríd ag gáire. 'A Mham, níl Fionn aerach. Dá mbeadh féin, níor mhiste liom ach ní sin an fhadhb, ní sin an fhadhb ar chor ar bith.'

Nuair a bhí Nóra curtha ar a suaimhneas ag Bríd agus achan rud glanta d'imigh Bríd ag teach Hiúdaí.

Bíonn uaireanta ann i saol na hiriseoireachta agus bíonn agat rud éigin a dhéanamh nach bhfuil tú ag iarraidh. Is é sin labhairt le máthair faoi bhás mic nó uaireanta labhairt le daoine a chaill ball clainne trí dhrugaí nó dúnmharú.

Bhí a fhios ag Bríd Hiúdaí ó bhí sí ina cailín óg agus ba é seo ceann de na huaireanta sin ina saol.

Chaith sí cúig thoitín sa charr sular tharraing sí ar an doras sin a bhí a fhios aici ariamh. Is iomaí lá a rinne Bríd dul isteach anseo le cupán tae a bheith aici agus í ag siúl go barr an chnoic ar Aifreann.

Shiúil sí anonn chuig an doras agus bhuail cnag

air lena lámh. '*The dead door knock*' a bhí ag a cuid comhghleacaithe air seo i mBaile Átha Cliath ach is measa arís é nuair atá aithne agat ar an té atá ar an taobh eile.

Bhí an phéint dhearg triomaithe le grian an tsamhraidh agus ag éirí dóite in áiteanna. Mhothaigh sí madra ag tafann istigh agus mhothaigh sí coiscéimeanna troma ag tarraingt chun dorais.

Bhí an ghrian ag titim ar chúl Inis Oirthir agus bhí braillíní óir, bándearg agus gorm éadrom ag titim thar thóin na spéire.

'Gabh isteach, a Bhríd,' a dúirt Hiúdaí.

Mhothaigh Bríd boladh trom ólacháin ar a anáil.

Bhí boladh trom sa teach agus bhí luaith na tine lán de thoitíní ag scaipeadh as áit na tine amach ar an urlár.

Shuigh Bríd síos ag ceann an tábla agus shuigh Hiúdaí ar an taobh eile. Ní raibh ann ach scáil den fhear a bhí a fhios aici.

Chonaic sí an sean-Hiúdaí. Fear ard le gruaig

fhionn. Bhí dhá lámh aige mar a bheadh sluasaidí ann. Fear a thug beatha don talamh, chuir sé síol agus d'oibrigh sé leis an nádúr agus an aimsir le beatha a shaothrú as agus anois bhí an saol i ndiaidh síol a bheatha a thógáil uaidh.

'Tá mé buartha faoi bhás do mhic. Ní raibh a fhios agam. Bhí mé i mbun oibre i mBaile Átha Cliath,' a dúirt Bríd.

'Tá a fhios agam go bhfuil tú buartha agus níos mó ná sin tá a fhios agam an jab atá tú a dhéanamh faoi Bhaile Átha Cliath. Seans go bhfuil mise ag ól barraíocht ar na laethanta seo ach níor chaill mé mo chloigeann ná mo chuimhne leis. Tá a fhios agam fosta nach ar mhaithe le do chomhbhrón a chur in iúl a tháinig tú ag bualadh ar mo dhoras-sa. Nuair a mhothaigh mé go raibh tú sa bhaile, bhí a fhios agam gur scéal a thug aníos tú agus 'bhfuil a fhios agat seo? Tháinig tú chuig an doras ceart,' a dúirt sé.

Ní thiocfadh le Bríd gan aontú leis.

'Glacann tú leis gan faic a rá faoi seo le duine ar bith eile sa cheantar, fiú amháin na Gardaí, a Hiúdaí,' a d'impigh Bríd.

Dúirt Hiúdaí go raibh seo intuigthe.

'Tá a fhios agam go bhfuil an grá céanna agatsa do do mhacsa agus a bhí agamsa don fhear óg. Bhí sé féin agus Fionn iontach go deo mór le chéile. Bhí Hiúdaí ag déanamh go maith ar an scoil. Bhí suim san eolaíocht aige. Bhí rún aige dul chuig an choláiste. Níl a fhios agam cad é a tharlaigh…nó cá háit ar chaill mé aithne air ach thosaigh sé ag athrú. Shíl mé ar dtús gur de bhrí go raibh sé ina dhéagóir. Ach ní sin an chúis. Sin an botún is mó a thig leat a dhéanamh. Thosaigh sé ag ól agus ag caitheamh. Bhí sé féin agus Fionn ag caitheamh cuid mhór ama siar an bealach. Ní hamháin gur thosaigh sé ag athrú mar dhuine ach thosaigh a aghaidh, a chruth, ag athrú. D'éirigh sé bán, lomchnámhach, agus bhí sé i dtólamh drochmhúinte. Ní raibh agamsa ach mé féin siocair go raibh a mháthair, Eibhlín, imithe ar shlí na síoraíochta, go ndéana Dia trócaire uirthi, agus ní raibh a fhios agam cad é le déanamh. Tá a fhios agam anois gur drugaí a thug a bhás. D'inis na Gardaí an méid sin dom,' a dúirt sé agus na deora ag sileadh síos a ghaosán.

Ghlan sé na deora go garbh le cúl a dhoirn.

'Leis an fhírinne a insint duit, bhí sé marbh ar an tsaol seo cibé ar bith. Bhí sé ag goid uaimse agus ag tabhairt drochbhail dom, mar a thuigeann tú féin, a Bhríd, agus ní raibh mé ábalta a bheith beo leis. Tá a fhios agam anois nárbh é mo mhacsa a rinne na rudaí sin liom. 'is é na drugaí a bhí ann,' a dúirt sé.

Sheasaigh Bríd suas nuair a chonaic sí an pictiúr d'Fhionn agus Hiúdaí san fhuinneog. Ba é an ceann céanna a bhí san fhuinneog sa bhaile a bhí ann.

D'amharc Hiúdaí uirthi.

'An bhfeiceann tú faic as an ghnáth leis an phictiúr sin?'

D'inis Bríd dó nach raibh sí ábalta a thuiscint cad chuige nach raibh an sneachta ach ar leath an dín.

Chuimil Hiúdaí a chlár éadain.

'Níor aithnigh mise sin ar chor ar bith agus mé ag gabháil isteach agus amach anseo i rith an gheimhridh. 'Is é duine de na Gardaí a d'inis dom é. Bhí tionscal idir lámha ag Hiúdaí óg thuas an staighre. Bhí sé ag fás an channabais. Bhí lear solais agus teasa de dhíth orthu le fás agus mar sin bhí an teas seo ag ardú agus leáigh an sneachta ar an díon.'

Thosaigh na caointe ag briseadh ar Hiúdaí.

'A leithéid de thionscal agus é faoi mo ghaosán. Bhí lán coinnle agus ola aige abhus anseo. Bhí boladh ar dóigh abhus anseo aige leis an bholadh a chur faoi cheilt. Á bhuel, cad é a thig leat déanamh?'

Baineadh stangadh bocht as Bríd agus bhí croí Hiúdaí ag briseadh ina ucht. Bhí an teach tite i ndorchadas agus chonaic Bríd a chuid súl ag glioscarnach le deora.

'Cad é mar atá Fionn?' a dúirt an scáil dhorcha as bun an tábla.

Sheasaigh Bríd suas. 'Tá orm imeacht. Tá coinne eile agam anocht,' a dúirt sí.

Mhothaigh sí é ag tógáil isteach anáil fhada.

'A Bhríd, tá siad ag tabhairt isteach drugaí sa cheantar seo. Tá siad ag úsáid báid lena dhéanamh. Tá gasúir óga sa cheantar á bhfostú acu. Ní miste leo faoi na fir óga seo. Faigheann siad díolta i ndrugaí éadroma ar dtús agus de réir a chéile tugtar drugaí níos troime dóibh go dtí nach bhfuil siad ach ina n-andúiligh. An dtuigeann tú mé? Tuigtear dom go ndéanann siad hearóin a mheascadh leis an chócaon agus déanann sin an jab a ghríosú ón tús. Sin an dóigh a bhfaightear greim orthu.'

Lean sé ar aghaidh.

'Tugann siad na drugaí isteach oíche Déardaoin ag Port Uí Chuireáin taobh thíos den Ailt Mhóir. Insíonn daoine go leor anois dom de bharr gur chaill mé mo mhac. Tá trua acu dom. Ach, roimhe seo agus na drugaí ag ithe an anama as mo mhac, níor dhúirt siad faic. Bhí siad gasta go leor á cháineadh fosta agus fios maith ag cuid mhór den phobal, agus chuirfeadh sé iontas ort cé hiad, cad é a bhí ag gabháil.'

Bhagair sé do Bhríd a bheith ríchúramach lena cuid taighde.

'Bí cúramach nó níl tú ag déileáil le daoine deasa. Tá seo ag gabháil ar aghaidh leis na blianta.

Gach ádh ort,' a dúirt Hiúdaí, ag tógáil deoch uisce beatha as gloine a bhí ina shuí roimhe ar feadh uaire.

Ag fágáil an tí di, thiomáin Bríd i dtreo an tí pobail. Bhí an dorchadas trom ach bhí an dorchadas céanna ag casadh trí gach gné de chorp Bhríd.

Shuigh sí sa charr ag an teach pobail. D'amharc sí trasna ar an fhochla a bhí lasta suas. Bhí dealbh na Maighdine Muire ann agus í ag amharc suas ar Neamh agus cuma an tsuaimhnis agus an tsonais uirthi.

D'impigh sí ar an Mhaighdean Mhuire cuidiú lena mac agus le gach gasúr óg sa cheantar a bhí ceaptha in eangach na ndrugaí.

Nár dheas an rud an sonas seo, a smaointigh Bríd, agus thosaigh sí ag guí chomh crua agus a ghuigh sí ariamh.

D'fhág sí clós an tí pobail an oíche sin agus suaimhneas ina corp. Bhí cinneadh déanta aici. Bhí sí cinnte den fhadhb – anois ní raibh ann ach réiteach a fháil.

6

Níor chodlaigh Bríd an oíche sin le tromluí. Bhí sí ar ais arís sa phósadh agus Éamonn ag teacht abhaile ólta agus á bualadh.

Bhí Fionn ag caoineadh sa tseomra. Bhí a fhios ag Bríd nach raibh faic níos tábhachtaí ná an babaí a chosaint. Bhí scáil dhubh ina suí sa chlúid ag tabhairt treorach agus ag cur comhairle uirthi ach bhí eagla ar Bhríd roimh na focla agus an bhrí a bhí sí ag baint astu.

Bhí daoine ag iarraidh an babaí a thógáil uaithi agus a bás a thabhairt. Bhí na daoine seo i bhfolach in achan choirnéal den phobal agus bhí a fhios ag daoine cérbh iad ach tugadh cead a gcinn dóibh de bharr an stádas pobail a bhí acu.

Nuair a mhúscail sí ón tromluí bhí sé ag gabháil ó dhorchadas. Shuigh sí ag an fhuinneog ag coimhéad an ghrian ag éirí agus a croí trom le buaireamh.

Bheadh an spéir á fáisceadh féin inniu i ndiaidh na dea-aimsire. Bhí deora beaga fearthainne ag bualadh na fuinneoige, ag cur solas na sráide os comhair an óstáin ag sleamhnú síos an fhuinneog roimpi.

Chuimhnigh sí ar scéal a rinne sí faoi iad seo a raibh fadhbanna cearrbhachais acu. Thug sí cuairt orthu in aonad. Chaith na fir an méid airgid a bhí acu trí bheith ag caitheamh gill ar cé chomh gasta agus a rithfeadh an abhainn bheag fearthainne go tóin na fuinneoige.

Ag scríobh an ailt sin, bhí Bríd den bharúil go raibh deireadh leis an drochshaol a bhí aici. Ach ar maidin inniu, bhí a fhios aici nárbh in mar a bhí.

Bhí ceisteanna tromchúiseacha ina rith trína hintinn. Thriail sí na ceisteanna a mhúchadh ach go fóill beag bhris siad trína hintinn go tobann agus gan srian. Ní raibh sí ag iarraidh aghaidh a thabhairt orthu.

Bhí a fhios aici go raibh sí maith ag cur smaointe go cúl a hintinne ach bhí a fhios aici go mbeadh uirthi aghaidh a thabhairt orthu an uair seo.

Thuig Bríd gur seo an darna huair ina saol a bhí sí chomh trína chéile seo. An chéad uair ná nuair ab éigean di cinneadh a dhéanamh Éamonn a thabhairt chun na cúirte agus a fhios aici go mbeadh an príosún i ndán dó.

Ag an uair sin, bhí sí go mór i ngrá go fóill leis, d'ainneoin an fhoréigin, ach bhí uirthi gníomhú de bharr an linbh. Bhí beatha babaí níos tábhachtaí ná grá ar bith agus sin a raibh ann, chonacthas do Bhríd ag an am. Bhí uirthi an bheatha a bhláthaigh as an ghrá sin a chaomhnú agus a chosaint.

Thar na blianta, tháinig fuath ina croí d'Éamonn. Níor tharlaigh sé thar oíche ach tháinig an fuath ina am féin agus bhí sé chomh cumhachtach sin gur ghlan sé achan ghné den ghrá glan as a croí.

Ní raibh maithiúnas ar bith aici dó dá bhrí sin ach an oiread. Bhí fuath aici air de bharr an fhoréigin ach bhí fuath níos mó aici air de bharr gur bhris sé a croí agus nach raibh sé ar a cumas muinín ná grá a bheith aici d'fhear ar bith go deo arís.

Corruair shíl sí nach raibh croí ar bith fágtha aici. Bhí a fhios aici gur tharraing sé an t-anam aisti sular fhág sé. Bhí sí fuar folamh ach mar mháthair bhí sí ábalta agus fuarchúiseach. *cool* Chonacthas di féin go raibh cibé ar bith.

Anois ba é an cheist a bhí ann ná ar chóir di an scéal a iniúchadh a dhéanfadh a mac féin a chur i ndainséar? *danger*

D'oibrigh sí go crua leis an phost seo a fháil. Cad chuige a ligfeadh sí do mhangairí drugaí agus a gcuid nimhe sin a sciobadh uaithi?

Thuig sí go raibh seans go ndéanfadh siad Fionn a chur chun príosúin ag brath ar cad é an pháirt a bhí aige sa mhangaireacht drugaí seo. Sin ráite, thiocfadh leis a bheith scaoilte, báite, buailte ag brath ar an dóigh a dtitfeadh rudaí amach.

Bhí a fhios aici go raibh Bean Uí Shúilleabháin ag iarraidh go mbeadh seo ina scéal ollmhór. Bhí sí ag iarraidh an nuatheicneolaíocht seo a úsáid leis an scéal a chur os comhair an phobail.

Bhí a fhios ag Bríd gur seo ceann de na scéalta is mó a rinne an nuachtán a bhriseadh le blianta.

Bhí go leor airgid infheistithe ann go dtí seo. Bhí an t-iriseoir coiriúlachta ag obair ar an scéal agus bheadh foireann ag teacht as Baile Átha Cliath don oíche mhór. Ní raibh a fhios aici cad é an méid oibre a bhí curtha isteach ag Bean Uí Shúilleabháin ann ach an oiread.

Bheadh fear nó bean ceamara ann, tiománaí, teicneolaí agus duine fuaime. Bhí rún ann an t-iomlán dearg a thaifeadadh. Ní raibh eolas ar bith le sceitheadh chuig na Gardaí go mbeadh gach rud a bhí de dhíth ar an nuachtán acu. Nuair a bheadh Bríd sásta go raibh an scéal ceart acu, dhéanfadh sí scairt a chur ar na Gardaí agus dhéanfaí seo a thaifeadadh chomh maith le cur leis an fhianaise.

Bhí an fhoirmle iomlán ag Bean Uí Shúilleabháin.

Thuig Bríd go raibh Bean Uí Shúilleabháin ar an eolas go mbeadh mangairí móra drugaí Bhaile Átha Cliath ar an láthair lena lasta féin a thabhairt ar ais chun na cathrach.

Ní nós a bhí acu a bheith ag ligean do dhuine ar bith eile a bheith bainteach lena gcuid drugaí i ndiaidh dóibh a bheith tógtha chun tíre, dar leis an eagarthóir.

Dúirt sí go raibh géarghá le huimhreacha na gcarranna a thógáil síos ionas go ndéanfadh cara léi sna Gardaí na huimhreacha a chur tríd an gcóras *PULSE*.

Thuig Bríd go raibh an t-eolas seo ag an eagarthóir de bharr an chogaidh a bhí ar siúl faoi thailte in iarthar Bhaile Átha Cliath. Dhéanfadh na daoine sin rud ar bith le fáil réidh leo seo a bhí ag teacht isteach ar a gcuid tailte.

Bhí na mangairí drugaí ag baint úsáide as cleas úr. In áit iad a scaoileadh, iad a cheapadh agus é sin a dhéanamh trí na meáin, sa dóigh sin ní bheadh dabht ar bith ann maidir leis an choir.

Dar ndóigh bheadh taifeadadh den eachtra á bhriseadh ar shuíomh gréasáin an nuachtáin chomh luath agus a bhí gach rud seolta chuig an oifig.

Bheadh srianta curtha le haghaidheanna agus le hainmneacha na gcomhpháirtithe go mbeadh cásanna cúirte thart.

Bhí a fhios ag Bríd go mbeadh uirthi Fionn a choinneáil siar ón jab. Bheadh uirthi labhairt leis agus sin a raibh ann dó. Dhéanfadh sí an dainséar a chur ina luí air agus dhéanfadh sé éisteacht léi, nach ndéanfadh?

Cheansaigh sí í féin. Sin deis amháin a bhí aici. Dá mbeadh trioblóid aici leis bheadh uirthi Nóra a thabhairt isteach sa scéal agus sin an rud deireanach a bhí Bríd ag iarraidh ach dhéanfadh sí é. Bhí saol a mic, arís eile, i mbaol agus an uair seo bhí sé ag gabháil an bhealaigh chéanna lena athair – isteach sa phríosún.

Bhí impleachtaí fíochmhara ann d'Fhionn agus fiú muna ndéanfadh Bríd an scéal thuig sí go mbeadh an scéal déanta ag Bean Uí Shúilleabháin ar dhóigh amháin nó ar dhóigh eile. Bhí a fhios ag Bríd ar a laghad dá ndéanfadh sí féin é bheadh stiúir níos fearr aici ar an méid a thiocfadh chun solais.

Bhris trombháisteach agus mhúscail sé Bríd óna cuid smaointe. Chaith sí siar a dhá ghualainn agus d'amharc thart timpeall an tseomra.

Thit a croí nuair a chonaic sí an ríomhaire lasta.

Bhí a fhios aici go mbeadh teachtaireacht le teacht inniu ón eagarthóir.

Bhí sí i gcruachás agus ba mhaith léi an scéal a phlé le duine éigin. Ach thuig sí fosta gur beag duine a mbeadh sí ábalta labhairt leis.

Bhí go leor brú ar Nóra gan tuilleadh den bhuaireamh a bhualadh uirthi. Ní maith labhairt le duine ar bith eile sa cheantar, is beag tuiscint a bheadh acu ar an jab a bhí aici agus an dualgas a bhí uirthi an scéal seo a bhriseadh.

Rith smaointiú eile léi, thiocfadh léi labhairt le Dónall, a cara a bhí ina gharda. Bhí dáimh láidir eatarthu agus is iomaí rún a bhí eatarthu. Bheadh tuiscint aige ar chúrsaí dlí agus na himpleachtaí a bheadh ag an scéal.

Cé go raibh sé luath ar maidin, chuir sí scairt ar Dhónall. Bhí sé ina chodladh ach sásta gur ghlaoigh sí. Bhí an nós seo eatarthu, pé uair a bhí rud éigin ag cur isteach orthu thiocfadh leo scairt a chur ar an duine eile.

'Maidin mhaith, mo phlúirín sneachta,' a dúirt a ghlór.

Thosaigh Bríd ag gáire agus thosaigh Dónall fosta. Chuir sé lúcháir ar a croí a ghlór a chluinstin.

'Sula gcuirim ceist ort cad é atá ag cur isteach ort tá ort rud éigin maith a insint dom,' a dúirt Dónall.

Chaith Bríd í féin siar sa leaba mar a bheadh déagóir ann agus d'inis sí an scéal uilig dó faoin Chigire Ó Baoighill. Chuir sé iontas uirthi nár ghearr sé isteach ar an scéal le ceist a chur ach bhí a fhios aici go raibh sé ag éisteacht go cúramach le gach focal a bhí á rá aici.

Nuair a bhí an scéal uilig ráite ag Bríd d'iarr sí a thuairim ar Dhónall. Stróic an méid a bhí le rá aige an croí, arís eile, as ucht Bhríd.

'Is fuath liom seo a rá leat ach caithfidh mé. Tá an Cigire Ó Baoighill pósta. Tá bean agus clann aige. A Bhríd, tá mé ríbhuartha,' a dúirt Dónall.

Chas Bríd an fón as. Shuigh sí sa leaba ag gabháil anonn agus anall ag déanamh iarracht an gortú a cheansú ach ní raibh maith di. Ghlan sí a cuid súl le cúl a lámh agus dhírigh í féin suas. Ní bhfaigheadh fear ar bith an lámh in uachtar uirthi anois. Dhéanfadh sí an rud a dhéanadh sí i dtólamh – chuirfeadh sí an phian as a hintinn agus dhéanfadh sí díriú isteach ar an obair. Sin an cleas.

D'oscail sí a cuid ríomhphoist agus chonaic sí ainm Bhean Uí Shúilleabháin ina shuí roimpi.

D'oscail sí an litir leictreonach. Mar ba ghnáth leis an B.U.S bhí sí borb agus éifeachtach.

Léigh sí.

'A Bhríd,

Scríobh chugam le sonraí an scéil chomh luath agus a fhaigheann tú seo.

Bean Uí Shúilleabháin.'

Tháinig pian i mbolg Bhríd. Chuimhnigh sí nár chuir sí ríomhphost ar bith chuici an lá dár gcionn. Ba mhór an t-uafás sin.

De ghnáth nuair a bhí tú ag obair taobh amuigh den oifig ar scéal bheadh glaoch ag teacht chugat gach uair nó dhá uair i rith an lae le tú a choinneáil ag gabháil sa treo ceart agus le sonraí úra ón oifig a thabhairt duit.

D'amharc Bríd ar an uair a chuir an t-eagarthóir an ríomhphost. Ba dhóbair gur thit a cuid súl amach as a ceann nuair a chonaic sí gur a sé a chlog ar maidin a bhí ann.

Thosaigh Bríd ag scríobh go gasta:

'Maidin mhaith,

Tá an scéal ag gabháil go maith. Beidh an fhoireann de dhíth Déardaoin seo. Is cosúil gur sin an uair a bheas an 'mhórócáid' ar siúl,

Bríd Nic Aoidh.'

Bhrúigh sí an cnaipe, ag seoladh na teachtaireachta agus shuigh sí siar. Bhí an jab déanta aici ar an mhórchuid. Anois ní raibh ann ach tabhairt ar Fhionn fanacht amach as.

I gceann cúpla soicind, tháinig ríomhphost ar ais ó Bhean Uí Shúilleabháin:

'Beidh sin déanta.'

Sin é, a smaointigh Bríd, an jab déanta. Bhí sí sásta léi féin ach imníoch faoi Fhionn ag an uair chéanna.

Chaith sí uirthi a cuid éadaí spóirt agus thug aghaidh ar an bháisteach. Rith sí agus rith sí ag baint sult as gach uair a bhuail a cos ar an bhealach chrua. Mhothaigh sí an phian ag ithe isteach ina cuid scamhóg ach bhrúigh sí chun tosaigh agus choinnigh léi.

Bhí sí báite faoin uair ar fhill sí ar an óstán. Bhí daoine ina suí ag ithe a gcuid bricfeasta. Bhí beirt Ghearmánach san fhorhalla agus na suíocháin ba chóngaraí don fhuinneog faighte acu. Bhí úlla glasa agus cupán caife dubh acu beirt. Stán siad ar Bhríd nuair a tháinig sí isteach as an bháisteach.

Níor chuir sí iontas ar bith iontu ach chuaigh suas chun an tseomra agus léim sí isteach le cith dheas the a bheith aici. Rinne sí cinneadh istigh sa chith. Dhéanfadh sí cuairt a thabhairt ar Chaitríona. Seans go ndéanfadh sí labhairt léi, ní raibh sí cinnte faoi sin go fóill ach bheadh an chuairt tugtha.

Chaith sí uirthi bróga siúil, brístí teanna bándearga agus geansaí éadrom gorm agus rinne a bealach go dtí a carr.

Tharraing sí isteach chuig teach beag Chaitríona. Teach de chuid na comhairle contae a bhí ann agus bhí sé beag go maith. Bhí sé coinnithe go deas ag Caitríona agus bhí gach rud a d'fhéadfadh a bheith déanta leis, déanta ag Caitríona.

Shiúil Bríd siar go dtí an doras cúil. Bhí Caitríona istigh agus í ag doirteadh amach bricfeasta na bpáistí isteach i mbabhlaí.

Ní raibh cuireadh ar bith de dhíth ar Bhríd agus d'oscail sí an doras agus shiúil sí isteach.

'Bhuel, amharc seo a pháistí, aintín Bríd ar cuairt againn. Is mór an onóir seo,' a dúirt Caitríona agus í ag gáire.

Rith na páistí aniar ag Bríd agus thosaigh ag cur ceisteanna uirthi faoi cá fhad agus a bheadh sí ag fanacht.

Chaith Bríd sracfhéachaint ar Chaitríona agus rinne sí tarrtháil uirthi.

'Ithigí bhur mbricfeasta agus thig libh labhairt le Bríd ar ball beag,' a dúirt Caitríona agus í ag doirteadh amach cupán caife dóibh beirt.

Chonaic Bríd a cara ag tógáil paicéad toitíní amach as an phrios agus á chur isteach ina póca agus lean Bríd í amach an doras tosaigh agus thart timpeall an tí.

Ní go hiondúil a chaith ceachtar den bheirt chairde ach nuair a tháinig siad le chéile bheadh ceann acu. Chuir sé an óige i gcuimhne dóibh agus chothaigh sé dáimh.

'Bhuel, cad é atá ag cur buairimh ort?' a dúirt Caitríona ag cur iontais go raibh toitíní le Bríd í féin ina mála.

'Cad é nach bhfuil ag cur buairimh orm?' a dúirt Bríd ag déanamh gáire.

Sheasaigh Caitríona amach uaithi agus gan amharc uirthi.

'Fionn,' a dúirt sí.

Choimhéad Bríd an toit ag déanamh ciorcail bheaga san aer thar cheann Chaitríona. Bhí a fhios ag Bríd gur baile beag a bhí anseo agus ar an mhórchuid go raibh a fhios ag daoine rúin a chéile ach, ag an am chéanna, ní thiocfadh le fios a bheith ag Caitríona ar an scéal iomlán.

Seans go raibh sí ag smaointiú ar an iarracht a rinne Fionn ar a shaol féin, dar le Bríd.

'Tá sé ag teacht chuige féin,' a dúirt Bríd go fadálach, 'ach tá níos mó nó sin ann.'

Sheasaigh Caitríona siar uaithi.

'A Bhríd Nic Aoidh, tá aithne agam ortsa ó bhí tú i do thachrán. Éist thusa liomsa agus éist go géar. Ná bí ag tabhairt giotaí de scéalta domsa mar a rinne tú nuair a bhí na deacrachtaí agat le hÉamonn, inis an scéal dom anois, an gcluineann tú mé?'

Thuig Bríd go raibh Fionn mar a bheadh nia ann ag Caitríona. Bhí siad féin mar a bheadh deirfiúracha ann ag éirí aníos. Níor dhúirt Caitríona faic nuair a thit Bríd i ngrá agus d'fhág sí ar an trá fholamh í uair den tsaol. D'éirigh a gcaidreamh níos measa nuair a bhagair Éamonn ar Bhríd gan baint ar bith a bheith aici le Caitríona. Sheasaigh Caitríona an fód agus bhí ar Bhríd neamhiontas a dhéanamh di. Ghlac sé blianta dóibh an caidreamh a ghríosú go dtí an pointe ag a raibh sé anois. Cara maith a bhí inti agus dhéanfadh sé maith do Bhríd labhairt an uair seo.

'Tá eagla orm go bhfuil Fionn ag tógáil drugaí agus go bhfuil sé i dtrioblóid,' a dúirt Bríd.

'Tá Fionn ag tógáil drugaí agus tá a fhios agat féin faoin am seo cé is ciontaí,' a dúirt Caitríona.

Bhain an ráiteas seo an ghaoth as Bríd. An raibh a buanchara ag cur an locht uirthise? Arbh é sin é? An raibh Caitríona den tuairim gur drochmháthair í?

'Tá a fhios agam gur fhág mé, a Chaitríona, ach b'éigean dom seans a thabhairt dom féin fosta. Is iomaí déagóir a bhfuil beirt thuismitheoirí aige ag obair, nuair a théann sé chun an choláiste beidh sé ábalta fanacht liom agus beidh mé ábalta súil a choinneáil air. Níor shíl mé ariamh go dtarlódh seo,' a dúirt Bríd de ghuth lag.

Sheasaigh Caitríona ar an toitín a bhí á chaitheamh aici agus d'amharc ar Bhríd go drochmhúinte.

'Abair thusa liomsa go bhfuil a fhios agat nach bhfuil mé ag cur an locht ortsa. Corruair sílim gur tú an bhean is láidre agus is cliste dá bhfuil aithne agam uirthi ach uaireanta eile imíonn tú siar go dtí an bhean óg chúthalach sin a bhí faoi chois faoin tigh ag Éamonn,' a dúirt Caitríona.

Leis sin chuala siad glór na girsí is óige ag Caitríona, Fraoch, agus í ag amharc thart timpeall an choirnéil.

'A Mhamaí, dúirt Donnchadh nach bhfuil cead agamsa amharc ar *Sponge Bob*. Tá sé ar TG4 agus tá sé i nGaeilge agus dúirt mise leis go raibh sé *alright*.'

Thosaigh Caitríona ag gáire.

'Gabh isteach chun tí. Tá sé fuar amuigh. Amharc leat ar an teilifís. Abair le Donnchadh go bhfuil cead aige dul ar an ríomhaire.'

D'imigh Fraoch le léim thar choirnéal an tí agus í ag cur achan bhéic aisti ar Dhonnchadh.

Thosaigh Bríd agus Caitríona beirt ag gáire.

'Tá tú ag déanamh jab ar dóigh leo,' a dúirt Bríd.

Chuir Caitríona a lámh ar ghualainn Bhríd.

'Níl sé furasta leat féin. Diabhal ach nach bhfuil ach caithfear do dhícheall a dhéanamh. Tá a fhios agam go bhfuil an teach lán páistí agamsa agus gan agam ach mé féin ach mo thuairim gurb ionann sin agus déagóir á thógáil agat sna laethanta seo agus tú leat féin.'

Rinne Bríd gáire ach go fóill bhí pian i dtóin a boilg.

'A Chaitríona, cad é a bhí i gceist agat nuair a dúirt tú gur cheart go mbeadh a fhios agam cé air a bhí an locht?' a dúirt sí gan bogadh.

Dhírigh Caitríona suas agus thóg paicéad na dtoitíní amach as a póca agus dhearg an toitín.

'Seo chugat. Bhí súil agam go mbeadh a fhios agat faoin am seo ach is cosúil nach raibh an t-uchtach ag duine ar bith a rá leat. Tá Éamonn sa bhaile agus ag obair i dTigh Ghrianna. Tá sé féin agus Fionn iontach mór le chéile. Feictear go minic ag iascaireacht iad.'

Bhí Caitríona go fóill ag caint ach chonacthas do Bhríd go raibh na focla ag teacht uaithi ó áit éigin i bhfad uaithi. Chuaigh achan rud dubh agus nuair a tháinig sí chuici féin bhí sí ina luí i leaba Chaitríona agus bhí an seomra sa dorchadas.

D'éirigh sí amach as an leaba agus rinne a bealach suas chuig Caitríona. Bhí sise ina suí sa tseomra suí ag amharc ar an teilifís agus an dinnéar ar thráidire aici.

Nuair a tháinig Bríd isteach, chas sí an teilifís as agus chuaigh isteach sa chistin. Bhí an seomra suí te agus sócúlach agus shuigh Bríd siar isteach sa teas.

Tháinig Caitríona ar ais agus thug tráidire di lán dinnéir. Mhothaigh Bríd boladh na nglasraí a bhí rósta i mil san oigheann agus thosaigh sí ag ithe go cíocrach.

'Bhí an dochtúir agat. Thit tú i laige agus dúirt sé go raibh tú lag. Mhol sé dom ligean duit codladh. Chuir mé scairt ar Nóra agus d'inis mé di go raibh an dochtúir agat ach go raibh tú i gceart. D'inis mé di fosta go mbeadh tú ag fanacht anseo don oíche,' a dúirt Caitríona.

D'ith Bríd an dinnéar agus nuair a bhí sí críochnaithe, ghlan sí suas. Chuir Caitríona na páistí a luí. Chuaigh cuid acu a luí go furasta ach bhí cuid acu a raibh seasamh iontu.

Nuair a bhí scéalta léite agus gach rud déanta,

tháinig Caitríona isteach sa tseomra le buidéal fíona.

'Anois, a stór, labhair liom.'

D'inis Bríd an scéal go hiomlán di ó thús deireadh agus chuir sé iontas uirthi cad é chomh furasta agus a bhí sé labhairt nuair a thosaigh tú. Chuidigh an fíon, dar ndóigh.

Chuaigh an bheirt a luí le bánú an lae agus chodlaigh siad go raibh sé a naoi a chlog an chéad mhaidin eile.

Ag imeacht di ar maidin, thug Caitríona ar leataobh í.

'Bhuel, cad é atá tú ag dul a dhéanamh?'

D'inis Bríd nach raibh seans ar bith ann go ndéanfadh Fionn éisteacht léi thar a athair.

'Tá cuimhne agam ar na focla a dúirt sé liom an lá sin. Dúirt sé gur chuir mé a athair sa phríosún gan chúis. Is cosúil go bhfuil cluas a athar aige. Beidh orm teacht ar phlean eile.'

Ag tiomáint ó theach Chaitríona, smaointigh

sí gur inniu lá na cinniúna. Ní bheadh plean ar bith ullmhaithe aici, bheadh aici gníomhú ar an phointe. Stop sí an carr agus chaoin sí nuair a rith an smaointiú léi go raibh an fhéidearthacht ann go gcaillfeadh sí Fionn ar mhaithe leis an uascán sin a phós sí.

Ní thiocfadh leis sin tarlú, a dúirt sí léi féin, ach go fóill beag bhí a fhios aici go raibh seans ann agus ghortaigh sé í gur a saothar féin a d'fhéadfadh a mac a chur sa phríosún.

Ní raibh cumhacht nó brí na bhfocal ag dul a thabhairt tarrtháil uirthi an uair seo.

7

Teannas, sin a bhí san aer. Bhí Nóra, Bríd agus Fionn ina suí i dTigh Ghrianna ar oíche cheiliúrtha a bhreithlae. Ní mó ná sásta a bhí Nóra go raibh an dochtúir ag Bríd an oíche roimh ré. Bhí Nóra ag cur an locht ar an jab a bhí ag Bríd. Bhí Nóra ag stróiceadh builíní aráin agus í ag síorthabhairt amach faoi jab Bhríd.

Is beag a bhí Fionn agus Bríd ag ithe. Bhlais Bríd an sú agus bhí a fhios aici nach dtiocfadh léi a dhíleá. Bhí sí ar tí a bheith tinn agus í ag amharc anonn ar a mac, Fionn, agus bhí sí den bharúil nach raibh sé féin mórán níos fearr.

Bhí Bríd agus Fionn ag smaointiú ar an oíche agus eagla an bháis orthu beirt. Ba bheag a thiocfadh le ceachtar acu labhairt.

Nuair a bhí an dinnéar thart d'iarr Fionn cead imeachta. Thóg Bríd an bronntanas a bhí ceannaithe aici dó amach as a mála agus shín trasna an tábla chuige é.

Rug Fionn greim ar an bhosca agus rinne iarracht é a shá isteach ina phóca.

Bhí a fhios ag Bríd go mbeadh air an fón a bheith leis anocht dá mbeadh sí le súil a choinneáil ar cá háit a raibh sé.

Bhí aip uaslódáilte aici ar an fhón. Dhéanfadh an aip a insint di cá háit go díreach a raibh an fón ar léarscáil.

Dá mbeadh a fhios ag Bríd cá háit a raibh an fón seans maith go mbeadh a mac san áit chéanna agus sin an smaointiú a bhí aici nuair a cheannaigh sí é. Bhí sí ag súil le Dia go n-oibreodh an plean anocht.

'Ba mhaith liom go ndéanfá an bronntanas a oscailt,' a dúirt Bríd leis.

Chaith sí sracfhéachaint ar Nóra agus chonaic sí ar a haghaidh go raibh sí ag iarraidh an bronntanas a fheiceáil chomh maith.

Ní raibh fonn ar bith ar Fhionn an bronntanas a oscailt.

Bhí sé tinn tuirseach di. Ní airgead ná maoin

saoil an méid a bhí uaidh. Ní raibh de dhíth air ach grá agus aird a mháthar ach le cúpla bliain ní raibh seo le fáil aige.

Bhí sí ag obair i rith an ama. Gach uair a rinne sé iarracht labhairt léi thógadh an fón aird a mháthar uaidh.

Ar a laghad, bhí a athair ann agus bhí sé ann ó scaoileadh saor ón phríosún é. Ba chuig Fionn a tháinig sé i dtosach báire. D'inis a athair an scéal suarach uilig dó ó thús deireadh.

Ar dtús, ní thiocfadh le Fionn é a chreidbheáil ach bhláthaigh cairdeas agus muinín idir Fionn agus a athair. Thug a athair leis é ag obair, fiú ar obair dhainséarach mall san oíche.

Ní raibh sé ar a shócúl leis an tionscnamh a bhí idir lámha aige féin agus a athair ach gheall a athair dó go dtiocfadh deireadh le heachtraí na hoíche agus go mbeadh siad ábalta saol eile a bheith acu i measc cairde sa Spáinn.

Bhí Fionn ag dúil go mór leis. Bheadh an saol sin giota maith níos fearr ná an saol a bhí tugtha ag a mháthair dó. Ina shuí i dteach beag a bhí ag titim as a chéile a fhad agus a bhí sise ag cóisirí

VIP faoi Bhaile Átha Cliath.

Ní raibh fonn air sásamh ar bith a thabhairt dá mháthair.

Bhí cleachtadh ag Bríd ar an nós seo. Is iomaí uair a dhéanfadh Éamonn an cleas seo a imirt – gan sásamh a thabhairt di nuair a bhí rud éigin maith déanta aici.

Bhí a fhios ag Bríd go mbeadh uirthi brú a chur air an bronntanas a oscailt agus mar sin luigh sí isteach ar phlean eile. Bhuail sí cic ar Nóra istigh faoin tábla agus thuig Nóra cad é a bhí i gceist aici. Dhéanfadh Fionn rud ar bith do Nóra.

'Arú, a Fhinn. Oscail é. Ba mhaith liomsa é a fheiceáil. Ag Dia féin atá a fhios, seans nach beo a bheas mé ar do chéad bhreithlá eile. Tá mo chuid laethanta ag éirí gairid ar an tsaol seo, a mhic. Seans gur i mo luí thuas i bPáirc Sheoirse a bheas mé agus mo chuid crúb san aer,' a dúirt sí.

Ghéill Fionn do Nóra. Tharraing sé an clúdach den bhronntanas agus nuair a chonaic sé gur fón úr a bhí ann las a dhá shúil le lúcháir.

'Go raibh maith agat,' a dúirt sé ag amharc síos ar an éadach tábla agus é ag cuimilt a chlár éadain lena lámh ag an am chéanna.

'Tabhair dom é. Déanfaidh mé é a chur ar siúl duit,' a dúirt Bríd.

Ní raibh an darna suí sa bhuaile ag Fionn ach an fón a shíneadh trasna an tábla do Bhríd le gach rud a chur ina cheart.

'Tá an fón seo ag obair anois. Beidh mé ábalta do chuid uimhreacha a aistriú go gasta,' a dúirt Bríd.

Thóg sí seanfhón Fhinn a bhí ina shuí ag a thaobh ar an tábla. Chuir sí iomlán na n-uimhreacha isteach ar an chárta a bhí sa tseanfhón agus d'aistrigh iad isteach san fhón úr.

Rinne sí iad a shábháil ar *iCloud* agus sheol sí iad chuici féin chomh maith.

Rith sí tríd an fhón gur tháinig sí chuig an litir 'd' agus baineadh stangadh aistí, bhí uimhir sábháilte istigh faoin ainm 'Dadaí.' D'aithnigh Bríd gur sin an uimhir chéanna a rinne bagairt uirthi ar an lá úd nuair a bhí an fhuinneog briste.

Tháinig smaointiú eile chuici – caithfidh gur Éamonn a chuir an rós chuici chomh maith.

Shín sí an fón trasna an tábla chuig Fionn. Níor amharc sí air ach bhraith sí grá millteanach dá mac ag bláthú inti, an cineál grá nach mbíonn ann ach idir máthair agus páiste.

Gheall sí di féin go mbeadh sí láidir anocht, ar mhaithe leis-sean.

Anocht thiocfadh sise ar an liúdramán d'athair a bhí ag an ghasúr seo agus dhéanfadh sí cinnte nach mbeadh lorg a bhróg le feiceáil ar an talamh bhán ar feadh fada go leor.

Nuair a d'fhág Nóra agus Fionn, chuaigh Bríd i mbun oibre. Chuir sí scairt ar an fhoireann agus sheol sí ríomhphost chuig Bean Uí Shúilleabháin ag rá go raibh láthair ar intinn aici don oíche anocht.

Le titim na hoíche bhí an fhoireann uilig i dTigh Ghrianna. D'inis Bríd dóibh go raibh taifeadadh á dhéanamh ar thimpistí bóithre acu an oíche sin. Ghlac achan duine leis an scéal go réidh.

Nuair a thit an dorchadas, thug an fhoireann

aghaidh ar Phort Uí Chuireáin. Bhí log beag ar an trá a dtiocfadh leo cur fúthu ann agus bheadh radharc maith acu ar gach a raibh ar siúl faoi lampa na sráide agus solas na gealaí. Bhí ualach trom orthu uilig.

Thug fear an cheamara le fios do Bhríd nach raibh sé iontach sócúlach le bheith ag taifeadadh faoi bheagán solais.

Bhí a ghearán féin ag achan duine.

Ní raibh bean na fuaime sásta go raibh sí a fhad ón láthair agus go raibh tafann madraí an bhaile le cluinstin.

Chomh maith leis sin, bhí gasúir óga amuigh ag bualadh bál in éadan balla sa chúlra.

Ní mó ná sásta a bhí siad ach an oiread go raibh siad ag déanamh taifeadadh ar chuid de na daoine ba dhainséaraí sa tír.

Nuair a thug an bhean fuaime faoiseamh dá teanga chuir Bríd ceist ar fhear an cheamara cad é an méid ama a bhí sna cártaí cuimhne sa cheamara.

Mhínigh sé di go raibh ceamara eile aige ar eagla na heagla. Chonacthas do Bhríd go raibh seans aici stiúir a fháil ar an taifeadadh dá mbeadh sí ábalta a lámh a leagan ar cheann de na ceamaraí.

Ghlac sí an deis.

'Tá mé féin ábalta taifeadadh a dhéanamh fosta. Déanfaidh mise an eachtra a thaifeadadh chomh maith ar an darna ceamara ar eagla na heagla. Caithfear a bheith ríchinnte go bhfuil an taifeadadh seo linn.'

Thug an ráiteas seo faoiseamh d'fhear an cheamara. Dá dtarlódh rud ar bith anois leis an taifeadadh bheadh an darna ceann ann agus ní raibh faic a d'fhéadfadh an bhean mhire sin faoi Bhaile Átha Cliath a rá leis. Bhí eagla air roimh Bhean Uí Shúilleabháin ach cé nach raibh?

Bhí spéaclaí oíche le húsáid ag Bríd chomh maith faoi choinne uimhreacha na gcarranna a thógáil síos.

Thóg siad cupán tae as fleasc agus leis sin chonaic siad bád Sheonaí ag tarraingt isteach chun cé thar na tonnta.

Dhírigh fear an cheamara ar an bhád. Thosaigh carranna ag tiomáint aníos chun cé. Thosaigh Bríd ag breacadh síos uimhreacha agus sonraí carranna.

Nuair a bhí seo uilig faighte aici chuaigh sí isteach ar a fón agus chonaic sí go raibh Fionn ag tarraingt ar an láthair. Bhí sé i gcarr a athar, an carr a bhí in úsáid ag Éamonn thuas i dTigh Ghrianna.

Thóg sí an ceamara agus thosaigh ag taifeadadh. Chonacthas di go raibh teannas sa pholl bheag ghainmheach a raibh an fhoireann ag cur fúthu ann.

Dar le Bríd go ndéanfadh sise na príomhdhaoine a thaifeadadh.

Tháinig an bád chun cé. Léim fear amach aisti a raibh aithne aici air, fiú sa drochsholas: an cigire a bhí ann. Stop croí Bhríd agus dhírigh sí súil an cheamara isteach air.

Sheasaigh an cigire isteach leis an phríomhfhear a bhí ag tabhairt na dtreoracha ag tosach na cé. Bhí siad ina seasamh faoin lampa sráide.

Chonaic sí gasúir óga ina rith aníos agus síos an ché ag iompar an lasta as an bhád. Bhí Fionn leo. Chaith Bríd radharc an cheamara siar i dtreo na gcarranna sa chaoi agus nach mbeadh siad ar an taifead.

Bhí Éamonn ag déanamh fear mór de féin ag caint le fir Bhaile Átha Cliath a fhad agus a bhí a mhac ag déanamh an obair thógála uilig.

Bhí cuma ar an scéal go raibh Éamonn agus an cigire ag teacht ar aghaidh go maith le chéile. Rith smaointiú le Bríd a rinne lag í, ar iarr Éamonn ar an chigire súil a choinneáil uirthi agus í a choinneáil siar ón scéal?

Bhíodh a fhios ag Éamonn nach bhféadfadh scéal chomh mór seo a bheith faoi dhíon tí Bhríd gan í a thabhairt faoi deara.

Bhí a fhios ag an chigire gur Fionn a mac agus bhí sé á choimhéad ina rith síos agus aníos an ché. Nach cinnte go mbeadh a fhios aige gur Éamonn a bhí pósta léi?

Chas sí a hintinn siar agus smaointigh sí ar na ceisteanna uilig a chuir an cigire uirthi faoina mac. An raibh sí buartha faoi? Cá raibh a athair?

An raibh trioblóid faoin bhaile leis? An raibh sí ag obair ar scéal ar bith sa bhaile?

Bhí an fhírinne ag tarraingt uirthi ina tonnta agus in ionad í a bheith lag anois bhí sí ag láidriú.

Mhothaigh sí an fhearg ag baint an chroí aisti arís.

Bhí gach rud faighte aici ar an cheamara, nach raibh? Gach sonra dá raibh de dhíth? Rinne sí an cinneadh go raibh sé aici.

Chuir sí scairt ar na Gardaí agus d'inis sí go beacht dóibh cad é a bhí ar súil. Dhírigh sí an ceamara ar fhir Bhaile Átha Cliath agus ar Éamonn.

Bhí an bhean fuaime bogtha síos go cúl na gcarranna le taifeadadh a dhéanamh ar an chomhrá. Buíochas le Dia go raibh siad uilig cóirithe in éadach dorcha.

Bhí Bríd ag guí nach mbeadh faic ráite faoi Fhionn ar an taifeadadh, ach ní thiocfadh léi stiúir a bheith aici ar gach rud.

I gceann cúpla bomaite chonaic siad na soilse gorma ag tarraingt orthu. D'imigh daoine ina rith in achan treo.

Chuaigh na Gardaí caol díreach chuig na carranna. Bhí fir feithimh iontu. Thóg na Gardaí eochracha na gcarranna uathu.

Dhírigh siad isteach ansin ar na fir a bhí ina seasamh ar an ché.

Bhí Éamonn glic. Bhí seisean agus Fionn istigh sa charr cheana féin agus iad ag éalú amach as an láthair ar sheanbhealach gainmheach. Ní raibh na soilse ar siúl acu.

Bhí sé imithe ach níor mhiste le Bríd a fhad agus go raibh Fionn leis.

Thug Bríd an ceamara léi síos go dtí an ché.

Bhuail sí cnag ar an bhean fuaime ar an bhealach agus bhailigh sí léi.

Bhí an cigire ina sheasamh le taobh na nGardaí.

Mhothaigh sí é.

'An bhfuair sibhse scairt chomh maith, a fheara?

Maith sibh. Níl mé ach i ndiaidh tarraingt isteach soicind romhaibh. Déanaigí cinnte agus na fir seo as Baile Átha Cliath a thógáil.'

Bhí an dubhspionn ar Bhríd. Bhí na Gardaí a bhí fágtha ar an ché ag glacadh stiúrach ón liúdramán sin de chigire.

Chuaigh sí anonn chuige agus dhírigh an ceamara isteach idir an dá shúil air. Bhí an bhean fuaime léi cos ar chos.

''Bhfuil faic agat le rá faoin pháirt a bhí agat féin sa tionscnamh seo?' ar sí.

Chonaic sí súile an chigire ag glioscarnach le solas na gealaí.

Bhí na Gardaí a bhí ina seasamh taobh leis ag díriú isteach ní ba chóngaraí air. Bhí a fhios acu gur Bríd a bhris an scéal. Bhí níos mó eolais ná a bhí bailithe acu féin le fáil ar an idirlíon ar láthair an nuachtáin a raibh Bríd ag obair dó.

'Tá tú iontach greannmhar, a Bhríd, páirt agamsa sa tionsnamh náireach seo! Bhuel caithfidh mé dul a gháire,' a dúirt sé agus chonaic Bríd na fiacla geala san aghaidh dhorcha.

'Páirt agamsa sa tionscnamh seo, a leithéid de rud le rá. Thiocfadh liom tú a thabhairt chun na cúirte. Sin clúmhilleadh, a bhean. Bheinn breá sásta insint duit cé a d'éalaigh ón ché agus mé i ndiaidh inneall mo charr a chur as. Beidh eolas maith agat féin orthu....fan go bhfeicfidh mé anois,' a dúirt sé agus é ag iarraidh Bríd a choinneáil siar ó insint faoi féin.

Chuir Bríd an solas a bhí ar an cheamara ar siúl agus dúirt:

'Níl a fhios agam cén dearcadh a bheas ag do bhean agus do chlann faoin mhéid a bheas le rá agat? Ach is cinnte go mbeadh scéalta níos measa ná sin a d'fhéadfaí a rá leo. Níl dóigh ar bith a thig leat clúmhilleadh a bhagairt faoin scéal a bhfuil mise á phlé leat nó tá an fhianaise agam ar an fhón. Agus rud eile, tá gach uile ghné dá ndearna tusa anocht ar an taifead agus mar sin déan dearmad de do chuid bagairtí.'

Thosaigh an cigire ag damhsa ó chos amháin go cos eile. Ní thiocfadh leis bagairt a dhéanamh faoi rud ar bith faoi theaghlach Bhríd a sceitheadh anois. Bhí an bua ag an bhean mhallaithe. Bhí sé ag guí le Dia nach ndéanfadh sí an scéal faoin chaidreamh a bhí eatarthu a insint dá bhean.

Chuir sé a dhá lámh siar ar chúl a dhroma agus d'iarr ar dhuine de na Gardaí é a thógáil leo. Bhí sé ceaptha.

Bhris solas gorm na nGardaí an dorchadas nuair a bhí sé ag tiomáint amach ón ché. Bhí sáirsint ina sheasamh ar an ché.

Bhí aithne ag Bríd air ó na laethanta sa *Gazette*.

'Beidh mé ag cur scairt gan mhoill ort. Bhí Éamonn páirteach san oíche anocht agus seans níos mó ná an oíche anocht. Ní mó ná sásta a bheas sé mé a fheiceáil, mar a thuigeann tú. Mar sin dá dtiocfá chugam nuair a sheolfaidh mé téacs chugat, bheinn fíorbhuíoch,' a dúirt sí leis.

Thug an sáirsint croí isteach di agus dúirt go ndéanfadh sé amhlaidh.

Rinne Bríd an ceamara a leagan síos ar an talamh. Chuimil sí a cuid lámh síos lena taobh agus rinne gáire beag.

Bhí an fear ceamara ina sheasamh amach ón ché

ar an fhón ag caint leis an deasc faoin taifeadadh a sheoladh. Bhí an ceamara ina luí ar an ché. Rith Bríd anonn agus d'fhág sí síos an ceamara a bhí in úsáid aici ag taobh an cheamara eile. Rinne sí an cárta cuimhne a bhí ina ceamara féin a chur isteach sa cheann a bhí ag fear an cheamara. Chuir sí an cárta eile isteach ina póca.

Anois bheadh taifeadadh Bhríd ag gabháil chuig an deasc i gceann soicind.

Tharraing an fear ceamara aniar chuici. Shín Bríd an bheirt cheamara chuige. D'inis sí dó gurbh eisean a bhí ag úsáid an cheamara a bhí in úsáid aici féin. D'oscail sé an taobh agus d'aithnigh sé go raibh an cárta imithe.

Thiontaigh sé bán.

'Cá bhfuil an cárta? Caithfidh gur thóg duine éigin é. Déanfaidh sí leathmharú orm. Ní oibreoidh mé sa tír seo go deo,' a dúirt sé, ag smaointiú ar an B.U.S.

Chuir Bríd a lámh ar a ghualainn.

'Ná bí buartha. Fuair mise gach rud atá de dhíobháil ort sa cheamara seo agus tá an cárta istigh inti,' a dúirt Bríd.

Thug fear an cheamara croí isteach di.

Shiúil Bríd amach uaidh agus suas go dtí an seanbhealach. Bhí a carr páirceáilte ansin aici.

Chas sí a ríomhaire ar siúl istigh sa charr. D'amharc sí ar an léarscáil ar an tsuíomh gréasáin. Bhí fón Fhinn sa bhaile, buíochas mór le Dia na Glóire. Bhí a mac sa teach ag Nóra. Sheol sí téacs chuig an tsáirsint. Bheadh sé ann, bhí sí cinnte de sin. Garda den tseandéanamh a bhí ann.

D'oscail sí a ríomhphost.

Chum sí ríomhphost chuig Bean Uí Shúilleabháin.

'Tá lúcháir orm rá leat go bhfuil an jab déanta, mar is eol duit ag an phointe seo. Tá an taifeadadh á sheoladh chugat i láthair na huaire. Tá mé ag filleadh chun tí le píosa a scríobh faoi choinne an tsuímh gréasáin,'

Bríd Nic Aoidh.

I gceann soicind tháinig teachtaireacht ó Bhean Uí Shúilleabháin.

'Maith thú, a Bhríd.

Tá mé ag amharc ar an taifeadadh anois agus feicim go raibh an Cigire Ó Baoighill bainteach leis an scéal.

Sin scúp ar dóigh.

Maith thú.'

Dhruid Bríd an ríomhaire síos agus mhothaigh sí sásamh millteanach. Bhí an moladh ab airde ón cheird faighte aici. Sin an rud a bhí uaithi.

Ach anois bhí Fionn le fáil agus a athair a chur ar ais isteach sa phríosún. Dhéanfadh an scéal fanacht.

Thiomáin sí go dtí an teach. Chas sí an t-inneall as agus shiúil sí isteach. Bhí Éamonn agus Fionn ina suí ag an tábla. Bhí cuma orthu beirt go raibh eagla orthu.

Bhí Nóra ina suí cois tine agus cuma uirthi nach raibh sí sásta ar chor ar bith. Ní dhearna sí fiú tae dóibh, a d'aithnigh Bríd.

Thóg Éamonn a lámh agus dúirt le Fionn an seomra a fhágáil.

'Ní bheidh sé ag gabháil bealach ar bith. Beidh an fhírinne aige anocht. 'Bhfuil a fhios agat cad chuige a raibh d'athair sa phríosún?' ar Bríd le Fionn.

Ní raibh crith ar bith ina glór. Bhí sí láidir agus bhí sí ábalta.

Chonaic Éamonn go raibh sí láidir agus chuir seo iontas air.

'De thairbhe gur chuir tusa isteach é le bréaga,' a dúirt Fionn agus é ag amharc ar a mháthair go maslach.

D'éirigh Nóra ina seasamh agus a dhá lámh á gcuimilt síos lena taobh. Shiúil sí go dtí prios a bhí sa chistin agus thóg amach fillteán.

Bhuail sí faoi smigead Fhinn é. Caith do shúil thairis sin. Bhí do mháthair san otharlann dhá scór uair sa bhliain uair den tsaol. Bhuail d'athair an oiread sin í.'

Thosaigh Fionn ag léamh na nuachtán. Thit ciúnas marfach sa teach.

Chonaic sé an ráiteas tionchair íospartaigh a bhí réidh ag Bríd lá na cúirte. Léigh sé uilig é.

Ní thiocfadh leis an t-eolas seo a chreidbheáil.

D'éirigh Éamonn ina sheasamh agus chaith an fillteán san aer. Thit na páipéir bhána mar a bheadh duilleoga chrann fómhair i lár na cistine.

'Ní miste liomsa cad é a rinne tú liomsa ach geallaim duit…geallaim duit nach mbeidh baint ná páirt agat i saol mo mhic a thuilleadh. An gcluineann tú mé?' ar sí le húdarás.

Chaith Éamonn é féin siar sa chathaoir.

'Bhí sé deas mo mhac a bheith liom ar feadh seal. Deirim leat a mhic, nárbh é an fhírinne atá sa mhéid atá scríofa ansin. Sin an méid a dúirt SISE,' a dúirt Éamonn, ag díriú isteach ar Bhríd.

D'amharc Fionn ar a athair.

'Dá bhfaigheadh na Gardaí greim orainne anocht, bheinnse ag gabháil go dtí an príosún.

Ar smaointigh tú air sin?' a dúirt sé agus croí ina ghlór agus na deora ag líonadh a chuid súl.

Níor dhúirt Éamonn faic ach ghlac sé coiscéim i dtreo Bhríd.

Sheasaigh Bríd siar ag taobh Fhinn.

'Dhéanfadh sé sin. Thabharfadh sé leat go hifreann tú agus síleann sé gur sin grá. Bhí mise san ifreann sin cheana féin, a mhic, agus níl sé deas. Beidh na Gardaí do do cheistiú maidir leis an oíche anocht agus tá fíorbhaol ann go rachaidh tú chun príosúin. Tá tú ocht mbliana déag, a mhic,' a dúirt sí, ag cuimilt a chinn agus na deora léi.

Bhí a fhios aici nach ligfeadh Éamonn di an ceann seo a bhaint. Bhí aithne mhaith aici air.

Bhuail Éamonn a dhorn síos ar an tábla. Chuaigh lámh Bhríd díreach go dtí a súil agus chonaic Fionn seo agus thuig sé den chéad uair ariamh an lorg a bhí ar aghaidh a mháthar. Chrom sé a cheann.

'Ní ligfinn do mo mhac dul go hifreann liom….' a bhéic sé.

Leis sin shiúil an sáirsint isteach.

'Dia sa teach. Mhothaigh mé go raibh tú féin páirteach in ócáidí na hoíche anocht,' a dúirt sé, ag amharc ar Éamonn agus ag caitheamh sracfhéachaint ar Nóra a bhí ag diúl as gloine uisce beatha.

Tharraing Éamonn aniar ar an tsáirsint.

''Bhfuil ainmneacha na bpáirtithe eile ar eolas agat?' a dúirt an sáirsint le hÉamonn, ag amharc ar Fhionn.

'Níl. Ní raibh aithne ar bith agam orthu,' a dúirt Éamonn agus an sáirsint ag fáil greim gualainne air.

'Is cosúil nach bhfuil mórán le rá ag an chigire fúthu seo a bhí bainteach leis ach an oiread,' a dúirt an sáirsint, ag amharc ar Bhríd, 'ach tá na mórpháirtithe againn cibé ar bith agus sin an príomhrud,' a dúirt sé agus é ag siúl amach le hÉamonn.

Dhoirt Bríd amach trí leathcheann ar an bhord. Chaith sí siar a ceann féin. Rinne Nóra amhlaidh ach shuigh Fionn ag amharc ar a cheann féin.

'Ól an diabhal rud nó ní bheidh mórán fágtha duit. Tá tú ocht mbliana déag anois agus ná bí den bharúil nach raibh a fhios agamsa go raibh tú ag gabháil don ól leis an drochbhail a thug tú ar an dréimire sin sa halla is iomaí oíche,' a dúirt Nóra, ag suí isteach taobh na tine.

Rinne Fionn gáire beag lagchroíoch agus d'ól a chuid uisce beatha.

I ndiaidh tamall suaimhnis agus achan duine ag smaointiú ar a mbuaireamh féin, thiontaigh Fionn thart agus dúirt.

'Tá mé buartha faoin mhéid a tharlaigh.'

D'imigh sé suas go dtí a sheomra ansin.

Shuigh Bríd ag an tábla sa chistin agus scríobh sí an t-alt don tsuíomh gréasáin. Threabh sí leis go raibh sé críochnaithe. D'fhan sí ina seomra féin an oíche sin.

An chéad mhaidin eile, mhothaigh sí trup coiscéimeanna ag gabháil suas agus síos an halla. Nuair a tháinig sí amach chonaic sí go raibh an halla lán de phlandaí móra glasa.

Bhí Nóra ag impí ar Fhionn iad a choinneáil. Bhí achan gháire ag Fionn.

Rinne Bríd aoibh an gháire leis agus thosaigh ag cócaireacht.

Chuir Nóra uirthi a cuid buataisí agus thosaigh ar na plandaí a dhó istigh i dtobán amuigh sa ghairdín.

Rinne Bríd bricfeasta galánta blasta, uibheacha, ispíní, mairteoil agus bonnóg dheas arán plúir.

Nuair a bhí deireadh dóite acu, tháinig Fionn agus Nóra isteach agus d'ith siad rompu agus ina ndiaidh.

Chuir Bean Uí Shúilleabháin scairt ar Bhríd.

Rinne siad an scéal a phlé agus ansin d'iarr sí ar Bhríd teacht ar ais ag obair an lá arna mhárach.

Dúirt Bríd go raibh sin ceart go leor ach den chéad uair ariamh bhí díomá uirthi a bheith ag fágáil an bhaile.

D'ainneoin sin bhí scéalta le scríobh agus an saol le cur ina cheart.